Nie Shengzhe
聂圣哲 著

芸術とは何か

Qu'est-ce que l'art

Qué es el arte

What is Art

Was ist Kunst

Что такое искусство

艺术是什么

科学出版社

北 京

图书在版编目（CIP）数据

艺术是什么 / 聂圣哲著. — 北京：科学出版社，2022.5

ISBN 978-7-03-072056-6

Ⅰ . ①艺… Ⅱ . ①聂… Ⅲ . ①艺术－研究 Ⅳ . ①J

中国版本图书馆CIP数据核字(2022)第059092号

责任编辑：付 艳 张 文 / 责任校对：郭瑞芝
责任印制：师艳茹 / 封面设计：润一文化

科学出版社 出版

北京东黄城根北街16号
邮政编码：100717
http://www.sciencep.com

北京九天鸿程印刷有限责任公司 印刷

科学出版社发行 各地新华书店经销

*

2022年5月第 一 版 开本：880×1230 1/32
2022年5月第一次印刷 印张：9
字数：178 000
定价：59.00 元

（如有印装质量问题，我社负责调换）

艺术是什么

总目录

1

艺术是什么

聂圣哲 著

本书从艺术的本质特征出发，在哲学层面对艺术感、艺术创作规律及人们欣赏艺术的情感走向做了深入的剖析；分析了艺术感觉的形成条件，对艺术创作的过程及艺术创作的工具进行了分类，还对艺术作品的主要特性进行了视角独特的论述；基本上从哲学层面回答了什么是艺术的问题，因此提出了艺术研究的一系列全新的概念与方法，是对艺术及艺术创作认识的一次飞跃。

本书中的许多观点都来自作者原创。书中的不少内容，笔者曾在世界各地大学的演讲里涉及或在沙龙里展开过热烈的讨论。这些新颖、独特的观点引起了文艺理论界学者浓厚的兴趣。

本书基本上解决了文学与艺术研究长期存在的一个难题——文学和艺术研究的参照系和方法无法统一，从这个层面来讲，无疑有着重要的学术价值。

现将这些观点以八种文字出版，供世界上更多的文艺理论研究者、爱好者参考。书中的某些内容对艺术创作者或文化产业的从业者也有着重要的参考价值。

本书作为专著，字数如此之少，用短小精悍都难以形容。虽然字数很少，但观点已经阐述清楚，诸多疑惑已经解决，也就无须多费笔墨了。

聂圣哲

2020年10月

于姑苏城外改华堂

目　录

　　什么是艺术？艺术是什么？这是一个问题的两种表述，其本质都是试图定义艺术与非艺术的内涵。多少年来，人们一直尝试着很清晰地界定艺术的范围与界限，以对艺术和非艺术有很直观的判断，就好像水与火、黑与白的截然不同一样……遗憾的是，艺术表现形式的动态变化和对艺术的各种单向定义，使得人们时常只能凭感性对事物的艺术性作出判断，甚至，不少情况下人们对艺术的定义是在人云亦云中产生的。

　　如果不能对艺术有一个准确的、被人们广泛接受的定义，我们的艺术创作、学术研究、思维模式、文化呈现、修养水平，甚至道德操守都会因此受到严重影响。历史的经验告诉我们，这种影响是巨大的，人类社会文明的进步也极有可能因此受挫或停滞不前。

　　其实，对艺术的界定首先是对艺术感的界定，这是一个从生理层面过渡到哲学层面的问题。艺术的感觉产生于人们对世界认识的动态过程，这个动态过程往往导致人们对艺术定义的感性渐

变。这种感性渐变又使得人们对艺术的定义渐近世俗，而脱离了哲学的本质，也就失去了从哲学层面对艺术定义的意义。所以，对艺术的界定，迄今为止还没有公认的标准和参照系。

一般来讲，艺术的感觉最初因各种非生活态、非寻常化的新的元素的突然出现而产生，人们的感官受到了刺激，这种刺激往往是从出乎预料开始的。但是，任何刺激经过一定的时间就会变得麻木，这是普遍的客观规律。随着越来越多的人被同一元素刺激后发出感慨，麻木的人会逐渐醒悟，感觉再一次被激活，激活后又渐渐麻木……人们对这个循环往复的过程进行普适化的总结——这种总结首先来自感觉，其次是情感归纳，然后是使用语言工具做出抽象化概括性的定义。因此，许多定义渐渐得以流传。

在研究什么是艺术的问题时，有四个问题必须要弄清楚，分别是艺术感、艺术创作的过程、艺术创作的工具、艺术作品的特殊属性。

1

艺术感产生的两个外部条件

1.1　艺术感来源于差异性
——新鲜感是艺术感觉的初级状态

我们可以设想，原始人类最初的艺术感，可能来源于用以遮羞的第一片树叶，或者是古人某一声有韵律的吟唱。因为在习惯于裸体和嚎叫的原始人面前，这第一片树叶出现得突然，其视觉冲击力显而易见；第一声有韵律的吟唱，当时留给倾听者更多的感觉是新奇和出乎预料。当极少数人用树叶遮羞时，差异就产生了。这种差异就是一种新的状态，状态差就有势能的存在，要消除这种势能就必须完成能量的跃迁，这个跃迁需要时间、智慧、勇气甚至技巧。

艺术感来源于差异性。比如，当人们习惯于观看彩色图片时，黑白就是艺术；相反，黑白世界中突然出现的彩色也是艺术。再如，在蓝色的海面上，一叶白帆的出现，会让人感受到画面的艺术

性；在茫茫雪原中的一个蓝色的身影，也会给人留下艺术层面的感觉。又如，长期生活在城市里的人，来到风景优美的名山，自然会体会到风景所带来的艺术感受；相反，一个长期在山顶上生活而从未走出大山的山民，第一次来到城市的感觉是兴奋的，这也是一种很朦胧的艺术感觉。以上例子充分说明，虽然产生这些景象的主体并不一定具有艺术性，也不一定有艺术创作的动机，但这些景象却令人们产生了艺术感觉。

这个规律还可以从百灵鸟的歌唱及孔雀开屏的例子中得以验证。因为，孔雀开屏纯属求偶，百灵鸟歌唱或许是求偶，或者是闲得无聊，但它们绝不是在进行艺术创作。然而，在情感细腻的人们心中，这些现象所带给他们的感觉应该是属于艺术层面的。

生活中各种现象的差异使人产生了新鲜感，这种新鲜感是艺术感的最初始阶段，也是不可缺少和不可逾越的阶段。艺术感并不是一成不变的，随着时间的推移，许多因差异而产生的艺术感觉会被淘汰。有些感觉会因越来越司空见惯而慢慢淡化，只有具备永恒魅力的事物，才会长时间地留存在人们的记忆里，这种记忆经过多次反复相传，再运用语言工具加以描述，一种独立类型的艺术感就被越来越多的人承认了。正如第一幅绘画作品、第一首歌曲、第一件雕塑在诞生之初都不会被称为艺术一样。它们之所以后来被归纳为艺术，是因为作品与日常生活的差异性引起了人们艺术感觉上的刺激，而使人形成了一个认识、总结、怀疑、再认识，最后达成艺术共识的过程。

1.2　艺术感来源于距离感
——神秘感是艺术感觉的重要来源

距离，无论是空间距离还是时间距离，都是物理学概念。从哲学角度来说，距离有时是产生差异性的一种条件，尽管这种差异性经常是由错觉所致。距离的特殊属性决定了它在艺术感的产生过程中起着至关重要的作用。

首先，让我们举一个有关天体的艺术感的例子来说明。

晚风习习的浩瀚秋夜，有时皓月当空，有时繁星点点。生活在地球上的人们，从第一次看到星星或月亮时，内心的愉悦便油然

（唐）张萱《捣练图》

而生，这种远在天边的美丽景色，带给人们美好的视觉感受。尽管在天文学家及天体物理学家的眼里，这些放射出美丽光芒、充满迷幻的星球本质上是一大堆自然形成的泥土、岩石或气团，或冰冷，或炎热，通过遥远的距离呈现在人们眼前。但是，它们却可以令人产生有关艺术的联想和思考。当然，它们本身并不一定具有艺术特性，也不具有艺术创作的动机，但借由这些对象，人们产生的感受是具有艺术性的。

这是因为距离感会引发神秘感（无法透彻了解所致），这种神秘感首先是朦胧的感觉，可能是一种美丽的印象，往往伴有错觉，让人们看到了日常身边看不到的景象，感觉上产生了差异，激发了内心的愉悦，最终萌生出艺术的感觉。

距离感产生艺术感的例子不胜枚举。例如，夕阳下一群非洲妇女在田间耕作，她们或直立，或弯腰，光线勾勒出她们的一举一动，在东方人眼里，这是一种异域美的享受。相反，在她们丈夫的心目中，这也许仅仅是自己的妻子在地里劳动而已。又如，舞台演员在观众面前充满着魅力与光芒，进行着艺术表演，而在他们的配偶面前，也许仅仅是自己的妻子或丈夫在履行工作职责，其艺术感恐怕要大打折扣了。

现实中，我们经常可以看到，配偶长得很漂亮或英俊的人，也可能"不安于室"。婚外恋的存在是否合理，出轨是否要受到道德的审判，这是社会学家、伦理学家及法学家需要探讨的问题。这种因与正常生活拉开距离而产生的感觉，无外乎是神秘感、诡异感，甚

至是错觉或带有目的联想的幻觉，最后转化为带有艺术色彩的感觉。从本质上讲，或许也是某些人满足艺术感的一种追求，尽管这种追求是不道德的。有人说距离产生美。其实，这种说法并不十分准确。严格地说，应该是距离产生艺术的感觉，无论这种感觉是不是美的或道德的。

文物留给我们的感觉，主观艺术性占了很大的成分。一件在古代很普通的器皿或者工具，经过几百年甚至几千年的洗礼，增添了神秘色彩，这当然是由时间距离产生的艺术感。

接下来，我们可以来讨论一下人们观看摄影作品的感觉是否为艺术感了。

在很长的一段时间里，摄影是不是艺术一直是一个有争论的话题。尤其是它与绘画所呈现的都是平面视觉的作品——图像。人们往往会用朴素的情感作出以下判断：按一下快门，就一张照片，这算什么艺术？而绘画则是画家用画笔或者刻刀，经过一笔一刀的精工细作所

（明）仇英《桃源仙境图》

13

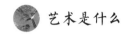

创作出来的作品，这样的一幅画，才能够得上是艺术。

我们来进一步分析一下摄影的工具与过程。

摄影使用复杂工具，瞬间就能完成；绘画使用简单工具，要经过很复杂的创作过程；摄影只要按快门即可，不需要技巧；绘画需要高超的技巧……其实，这种判断标准太过于表面化甚至情绪化了。我们通过差异性来判断，首先，照片并不等于产生这张照片的实物，它是摄影者在某一瞬间的感觉判断的基础上所记录而产生的平面视觉作品。有经验的摄影家，还会在光圈、快门的使用手法上进行设计，这样拍出的照片更具有不同于肉眼所能看到的实际景象，差异性就更大。日常生活中的一句话是很能说明这种差异性的，这句话就是"一个人拍照的时候是否上相"。此话就充分反映出摄影作品与客观对象的差异性本质，要么上相，要么不上相，但这都不是现实中的这个人。镜头记录的世界有别于人类肉眼所看到的景象，其中的差异性就是艺术感产生的可能。

其次，我们再从距离性来分析。比如说，一张喜马拉雅山的照片呈现在我们面前，我们看到的是千万里之外的喜马拉雅山被拍成的照片，空间距离是很大的；另外，它也是某一瞬间的图像记录，时间距离也显而易见。我们如果凭着这张照片再去喜马拉雅山，想寻找照片中的感觉，这几乎是不可能的，最多只能是"这个地方有点像"而已。

所以，只要从产生艺术感的差异性和距离感这两个特性来判

断，摄影作品的艺术感是显然存在的。其他形式的作品，如文学、绘画、戏剧、舞蹈、影视、建筑……人们在阅读、观赏、倾听时，都可以用这两个特性来判断其所带来的感觉是否具有艺术特征。

艺术创作的两个过程

一件艺术作品的诞生一般要经过两个过程，即物理加工过程和文化加工过程。

2.1 物理加工过程是艺术品诞生的第一步

任何一件艺术品之所以能成为艺术品，都是以物理形式来传播的。音乐是通过声波；绘画、摄影、雕塑、表演类等视觉艺术是通过光波（文学也是通过光波传递字码，然后转化为内容）；烹调艺术是通过味觉的分子接触，主要是物理过程，也伴有化学反应。

在艺术创作之前，雕塑的介质可能是一块石头或一堆可塑的泥土；画作可能是画布、纸、画笔或油墨；文学可能是纸和笔（现在

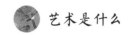

是电脑）；音乐是乐器或人声；摄影是相机、拍摄对象及光；建筑是建筑工人、建筑机械及建筑材料……

物理加工的过程，简单来说就是加工和制作的过程。雕塑家用刻刀、榔头和凿子；画家用油彩和画笔；演奏家用各类乐器；作家、诗人用纸和笔（现在用手机或电脑）；摄影家用摄像机；建筑家用图纸指挥建筑工人……于是，雕塑、绘画作品完成了，小说、诗歌写出来了，音乐演奏出来了，照片拍出来了，建筑物呈现出来了。这也就是说，艺术创作的物理过程完成了。

2.2 创作者自行的文化加工过程会伴随
物理加工过程进行

文化加工分为文化"前加工"及文化"后加工"两个过程。

文化前加工过程（又称情感加工过程）始终伴随着物理加工过程而存在，是创作者自行完成的一个过程。一个艺术家在创作时，往往有着明确的艺术动机，这种动机会伴随着创作的整个过程。这种文化加工过程会使得艺术家在物理加工过程中不断修正或升华自己的创作，最后使作品变得栩栩如生，或充满梦幻色彩，或怪诞离奇，使作品更加具有艺术特质。但是，这种来源于创作者本身的文化前加工，往往具有很大的局限性，这一过程会随着物理加工过程的结束而结束，其效果是很有限的。

　　文化后加工过程，是人们对包括艺术品在内的事物带着各种目的、情感和无限的想象，通过语言文字工具，进行循环往复的传播的过程。这个过程给作品附加了更多的艺术生命力和价值，这种附加往往难以预料，甚至可能达到无限扩大的程度。

2.3　文化后加工过程游离于作品及创作者本身

　　文化后加工过程虽然建立在作品个性、品质及灵魂的基础上，但往往是作品诞生以后才真正开始的。文化后加工是一个非常复杂的、永不停止的过程，其结果往往会偏离创作者的初衷。它也是艺术作品受众群体展开无限遐想或人为操作，艺术情感不断放大的过程，受其想象力、个人阅历、宗教信仰、民族自豪感、社会地位、经济利益、个人目的等因素影响。人工创作的艺术品进行文化后加工的效果是显而易见的，如凡·高的《向日葵》、达利的《红唇沙发》，都是文化后加工达到极致的产物。而且，随着时间的推移，更多、更精彩的文化后加工会使得这些作品更有价值。其实，当时的凡·高、达利对自己作品的认知，可能不会像今天的社会评价这样高。在他们自己的心目中，这些作品也许只是普通的作品。但是，历史的变迁，特殊的社会历程，不断的展览、商业操作及一代又一代人的关注，使得这些作品的文化后加工从未间断过，而且愈演愈烈，越加工越红火。这种现象，也许是这些作品的创作者当初始料未及的。所以，从这种层面上来讲，《向日葵》《红唇沙发》

等作品，是凡·高、达利和全世界后来的关注者共同创作的作品，因为这个庞大的文化后加工过程都是由后人来完成的。

不仅人工创作的作品会有文化后加工过程，有些自然物或虚无物也有被文化后加工的可能。如山上的一块岩石、一棵古松，经过一代又一代人的文化后加工，就能呈现出艺术生命和价值来。例如，黄山的迎客松。首先，黄山上的这棵古松原本是一棵自然的松树，也没有名字。它被命名为"迎客松"，就是一种文化后加工。随着参观者越来越多，每位见过迎客松的旅游家、摄影家、画家……都凭着自己的印象，不断描述迎客松的特征，这种描述往往带有情感色彩或某种目的，通过语言工具或艺术媒介的传播，使得迎客松变得越来越特殊，本来没有差异性和距离感的一棵自然松树就自然变得与其他普通松树不同了。从这个意义上讲，刘三姐的传说、月宫嫦娥的传说、神女峰的传说，大概都是自然物或虚无物经过文化后加工而成为艺术感觉物的典型例子。

特别要指出的是，一般像绘画、雕塑、建筑等具有不可复制性的艺术作品，它们的唯一性会使文化后加工效果随着商业的运作而不断加强，最后有可能是商业运作主导文化后加工，反过来文化后加工又给商业运作带来了这样或那样的自圆其说的解读。这种文化后加工和商业运作的"自耦"现象，使得这种类型的作品只要有市场存在，文化后加工就不会停息。相反，有些文学、音乐（特别是作曲）等作品就没有那么幸运了。因为相比较而言，小说、诗歌、乐谱更容易被复制，更难具备样本的唯一性，也就在一定程度上失

去了商业运作的价值。

　　有人会问，那些文学作品、乐谱的手稿不是也很有价值吗？是的，但这些手稿的艺术价值只是像书法与绘画的价值一样，它们与文学作品与音乐的价值是相对分离的。从它们的命名上就可以看出与作品本身的不同。如福楼拜的《包法利夫人》手稿、鲁迅的《为了忘却的记念》的手稿……这些手稿是独立于作品本身价值之外的，即便与文学、音乐作品本身价值有联系，也属于弱关联。

　　所以，文学、音乐这类作品的文化后加工就显得艰难得多，商业运作的可操作性较弱，更难有文化加工和商业运作的"自耦"提升现象了。

艺术创作的两个工具

　　艺术创作是需要工具的，除了物理学意义上的工具外，还有一类哲学层面的概念工具。我们暂且把这种哲学层面的工具分为"日常工具"与"技巧工具"。日常工具是指人们不需要太多的专业训练就可以使用的工具，如写作时文字的使用、摄影时全自动相机的使用、

影视表演过程中肢体的使用，等等。技巧工具是指需要经过严格训练才能掌握的工具，如器乐演奏家与作曲家运用乐器与音符，美声演员对声带与气息的把控，芭蕾舞演员、杂技演员、艺术体操运动员的动作技巧，等等。技巧工具的特点是，需要经过较长时间的专门训练，并且要有专业技术的指导，一般很难通过自学领悟。

有些工具是很难被界定为日常工具或技巧工具的，如书法的运笔、民歌及流行歌曲的演唱技巧……因为这些领域的技能有时可以通过个人悟性或较长时间的琢磨得以领会并掌握，有时也需要专门的训练及指导，很难将其界定为日常工具还是技巧工具。因此，同是艺术创作，但使用的工具是有区分的，有的甚至是本质的不同，这是一个非常重要的问题，值得认真、深入研究。

3.1　日常工具的创作特点

比如写作。在一二百年前，只有很少的人能够写作，那时的写作应该被归到技巧工具的范畴。但是，现在的人基本都已识字，文学创作就应该属于日常工具的范畴。所以说，今天的世界已经是"写作如同说话，是人就会"的时代，只要有信心和热情，基本上每个人都可以从事文学创作。事实告诉我们，大多数作家，无论今天是否属于专业性质的，他们基本都是从业余开始，因为他们使用的是日常工具，所以门槛不高，谁都可以自由入门。入门后，因灵感的涌现程度和创作的熟练程度不同，便会产生水平的高低之分，有的作者创作出

了佳作甚至是文学经典，有的作者就湮灭在平庸中。

随着技术的进步，现在购买数码相机已是一件非常普通的事情，甚至都略显过时了，因为有不少智能手机都已具备极佳的摄影功能。所以，摄影虽然是艺术，但使用的已是日常工具，手机的摄影功能不断提高，其便利性使得摄影工具愈加日常化了。

影视表演更是一项使用日常工具创作的艺术。尽管现在有了很多戏剧学院、电影学院，这些学院也会开设很多理论课程，对所谓的"梅斯布"理论（即梅兰芳、斯坦尼斯拉夫斯基、布莱希特的戏剧表演理论）进行这样或那样的解释和渲染，但把他们的这些观点或学说作为表演理论，对学生进行强行灌输，而试图使影视表演艺术进入技巧工具的范畴，这显然是错误的，甚至会给人们带来极大的误导。严格地讲，所谓"梅斯布"的表演体系，只是一些经验总结范畴的成果，这些经验只具有参考价值，而不具备指导意义。上官云珠本是一个理发店的勤杂工，周润发、施瓦辛格等也都没有受过系统的表演训练，没有深入学习与研究过"梅斯布"体系，但他们都成为了杰出的表演艺术家。

影视表演是一种最生活化的情景再现的创作，每个人对生活都有自己的经历和体验，所展现的角色当然不会一样，至于剧本里的角色应该是什么样子，编剧自己未必有清晰的样板，需要靠创作者自己来理解和诠释。这种情景再现的不准确性，往往使作品更具距离感和差异性，更会增加人们欣赏时的艺术感受。卓别林、赵本山的影视表演从某种程度上来说，应该是不准确的情景再现的表演，但观众却非

常喜欢，因为他们的表演认真地运用了日常工具并进行极度夸张，也没有遵循"梅斯布"理论，更没有试图去把日常工具变为技巧工具。

虽然是使用日常工具进行创作，但也不是一件容易的事情。作品是否成功，与创作者的天分、悟性、勤劳程度有着很大的关系。一个天资很好，又善于不断尝试与总结的人，在使用日常工具时会越来越熟练地掌握更多的技巧，他们在创作上是能够取得很大成就的。但那些试图把本应属于日常工具的艺术创作故意神秘化，企图把日常工具变为技巧工具，把想要使用日常工具创作的人堵在门外的人，是愚蠢甚至可笑的，也是难以得逞的。

3.2 技巧工具的创作特点

音乐创作中的作曲，以及乐器演奏，是典型的使用技巧工具的创作。创作者必须经过长时间的工具使用训练，才能跨入创作的门槛。这就使得这些创作者与普通人之间形成了工具壁垒，音乐创作也变得神秘起来。对普通人来说，参与技巧工具的艺术创作是一件很困难的事。在这种类型的艺术面前，普通人可能只是纯消费者或感性欣赏者，如芭蕾艺术和某些类别的美术都属于技巧工具创作的艺术。在这些艺术面前，一般大众只能作出是否好听、是否好看的判断，而对于其他，只能是仁者见仁、智者见智，或感到无能为力了。

随着电脑的普及，有些原来属于技巧工具的创作有可能转化为日常工具的创作。因为电脑把重复、机械性的技巧工具变得易于操

作且日常化起来。例如，普通人可以使用电脑作曲，也可以使用电脑来进行编程演奏，更能够用一台DV、一台电脑甚至一部手机自行编导出优秀的视频作品来。当然，使用这些工具创作的作品质量可能参差不齐，但随着科技的发展，这个问题将逐渐得到解决。所以，艺术创作大众化、大众生活艺术化完全会成为一种可能。

艺术作品的主要特性

　　一件作品之所以能成为公众认同的艺术品，是有其基本特征的。简单地说，一件自然物品、一篇文章、一个故事、一段音乐、一幅图片等，必须具有艺术品应该具有的表象特征，才有可能成为真正的、优秀的艺术品。

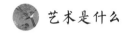

4.1 错觉性、夸张性和欺骗性

好的艺术品必须具有错觉性。当人们看到一座如亭亭玉立的少女般秀美的山峰，艺术感油然而生，因此将此峰命名为神女峰。但其本质上就是一座山峰而已，人们对其萌生出的少女般的感觉完全是"错觉"所致。

比如，在文学描述里，"小鸟像树叶一样落在地上"和"树叶像小鸟一样落在地上"都可以增加人们的艺术感受。如果我们将其描述成"小鸟像小鸟一样落在地上"和"树叶像树叶一样落在地上"，或者直接说"小鸟落在地上"和"树叶落在地上"，这样的描述都会大大削弱艺术感。人们一直对摄影是否为艺术颇有争议。其中有一点，就是摄影的准确性太高，错觉性不强。但是，人们却对照片画面与实际景色差别很大的作品倍加赞赏，这都是由艺术必须具有错觉性的特征所决定的。其实，电影里的很多场景在生活中是不存在的，如一些恋爱场面、战争场面，都经过了一定程度上的错觉加工，让观众信以为真。二战中虽然有很多惨烈的场面，但很少有像电影《拯救大兵瑞恩》中那样的场景。如果完全真实地还原拯救大兵瑞恩时代的战争场景，可能没有一个人会愿意观看。人们的艺术欣赏永远处在矛盾之中，喜欢看有错觉的、夸张的甚至是假的且具有高超欺骗性的作品，而情感上又一厢情愿地将其当作真实的事物而产生情感共鸣。这就是人们精神追求的一个重要规律，刺

激—联想—回到现实—再刺激—再联想的一个完整的过程。真实的蒙娜丽莎可能只是一名普通的妇女，但达·芬奇画笔下的蒙娜丽莎处于像与不像之间，充满着错觉与夸张，欺骗性显而易见。于是，油画《蒙娜丽莎》让世人神魂颠倒。掌握了这个规律，艺术创作就不会走向歧途，现实主义的作品不能等同于现实，抽象主义的作品必须有具象的映照，否则这些艺术作品就会失去生命力。

其实，"艺术来源于生活，且高于生活"的说法是不够准确的。只能说"有些艺术来源于生活，但高超的艺术总是巧妙地不同于生活而又不留痕迹"，因为只有这样才符合人们欣赏艺术作品时的情感走向，至于是否高于生活，是否有必要高于生活，这完全是艺术范畴以外的事情。

所以，艺术作品或者说能给人们带来艺术感觉的事物必须具有错觉性、夸张性和欺骗性。

4.2　故意的不准确性和像与不像之间

艺术创作的最高境界是具备故意的不准确性和处于像与不像之间。如果艺术家的创作能够把握住"像"这个基础，那"不像"就是一种技巧、灵感与智慧的光芒。如果无法把握"像"这个基础，那"不像"就是艺术水准低劣的写照。

当一个艺术家能够完全做到"像"时，他所创造的"不像"，就是最大限度地追求差异性和距离感，这种故意的不准确性会给作

品带来更高的艺术价值。凡·高的《向日葵》就是这类典范。观赏凡·高的这件作品，首先谁都知道凡·高画的是向日葵，如果得出画的是玉米饼的结论，那就糟糕透顶了。然后，人们又感觉到，在生活中从来没有见过这样的向日葵，但它又比真实的向日葵更具美感与感染力。这种故意的不准确性会给作品带来更旺盛的艺术生命力。当然，这种不准确性必须是可控制的，是艺术家实施起来游刃有余的。

再举一个普遍的例子。画家在作画的时候（特别是写实绘画）是非常注重透视效果的，如果画家准确地按照相机般的光学透视（即物理透视）来创作，有时画面会显得比较呆板。这时，那些深谙绘画技巧的画家，就会从物理透视向情感透视做出适当的转变。按照物理透视来衡量，情感透视是不准确的，甚至是离谱的。但正是画家的这种巧妙使用情感透视的方法，使得作品的主题得以突出，艺术效果大大增强，这也是故意的不准确性在艺术创作中的表现。

声学专家告诉我们，交响乐演奏的优美与震撼就来源于每种乐器音色的差异性。如果每种乐器的音色、音准都完全一样，演奏时形成的强烈声波共鸣会使得声音刺耳，糟糕至极。

所有这些，都是一个成功的艺术作品所必须具备的本质特征，归纳起来就是：错觉性、夸张性和欺骗性；故意的不准确性和像与不像之间。

结　语

　　互联网的出现使许多门类的艺术的入门门槛变得很低。文学、绘画、音乐、影视等作品都可以通过互联网上传，并随时受到全世界的检验。同时，人们也可以在互联网上获得知识甚至是专业技巧，艺术观与创作观的交流也通过互联网变得简单起来。科技不断发展，越来越多的技巧工具将会转变为日常工具，信息沟通的极度便捷使得艺术的文化后加工变得空前活跃，近些年绘画作品的价格跌宕也从侧面反映了这个问题。

　　互联网普及的时代来临，人们交流方式、认识问题及解决问题的途径的改变，促使人们的生活、情感、价值观发生变化，人们对艺术的认识方法、创作手段、展现方式和评估体系，都会与之前大不一样。因此，我们把互联网时代称为新艺术时代一点也不为过。

　　在未来的世界里，艺术是什么的问题将会成为人们日常生活中经常探讨的话题。

2

What is Art

苑爱玲 译

This book, in an effort to explore the nature of art, makes a thorough analysis on such aspects as the sense of art at the philosophical level, the law of artistic creation, and people's emotional development in appreciating art works. The analysis also involves preconditions for the sense of art, processes and tools of artistic creation, and the main features of art works. To speak further, this book tries to answer the question of what art is at the philosophical level, for which it raises a set of new concepts and research methods. It can be called a cognitive leap forward on art and its creation.

Many of its viewpoints are the author's original ideas, which have been widely and heatedly discussed in the author's college lecture tours and salons in many countries, and have attracted great attentions from scholars in theory of literature and art.

This book has basically found a way out for the long-existing dilemma in literature and art research, i.e., the incompatibility of its reference frames and its methods. In this sense and without doubt, this book has great academic value.

This book is published in eight languages, so that as many scholars and fans of this field as possible have access to it. Artists or those engaged in cultural industry can also take it as a reference.

This book, thin but efficient, has elucidated itself clearly and solved enough puzzles. More words will seem unnecessary. After all, brevity is the soul of wit.

Nie Shengzhe

October 2020

Gaihua Hall, Suzhou

CONTENTS

The question of what art is might have been asked in different ways, but all for one aim, i.e., to define the differences between art and non-art. For many years, we have been trying to establish a clear boundary or make a standard for art and non-art, as if there were indeed such things as those between water and fire or between black and white. However, the fact is, art is so dynamic in form and so diversified in terms of individualized description, that when talking our sense of art toward a thing, we, under such influences on awareness or not, often find words by instinct rather than by reason.

History has warned us that if we fail to give an accurate and widely accepted definition of art, many of our efforts to promote artistic creation, academic research, thinking mode, cultural representation, cultivation, morality, etc., will suffer from setbacks. Worst of all, the process of human civilization will be stranded.

To define art we first need to define the sense of art, the former being a question at the physical level whereas the latter the philosophical level. The sense of art is born in the dynamic process of our getting to know the world. With the change of our sense of art, our definition of art changes, becoming more and more vulgarized until digressing from the nature of philosophy. Thus, our effort to define art at the philosophical level becomes meaningless. Therefore, there hasn't yet been any universal standard or frame of reference for defining art.

Generally speaking, sense of art begins with a stimulus to our senses from some newly emerged elements that are both unusual and strange as compared with our normal life. But as time goes on, any stimulus will end up in a state of boredom or numbness. With more and more people being stimulated by the same elements and sharing their feelings, the crowd as a whole in the numb state will wake up. But the activation of senses always follows another state of numbness. To sum up such a cycle, we first turn to instinct, then to induction, which is essentially sensible, and then to abstraction and generalization by linguistic tools. Thanks to it, many definitions can spread.

To answer the question of what art is, we need to clarify four matters: sense of art, processes of artistic creation, tools for artistic creation, and features of art works.

1

Two External Preconditions for Sense of Art

1.1 Sense of Art Comes from Unusualness, with Freshness as Its Primary State

Suppose a primitive man who probably gets his first sense of art from seeing a leaf worn by someone, or from hearing a musical and pleasant yell. Imagine what shock this man who is used to wearing nothing will have, when a leaf suddenly appears in this way before him. And the very yell is surely much more strange and shocking than pleasant. When a few men begin to wear leaves, unusualness appears. This state of unusualness will generate something like potential energy, which must be minimized through a transition of energy until reaching zero, a time-consuming process that needs techniques, courage and wisdom.

The sense of art comes from unusualness. For example, when our

eyes get used to color pictures, black and white ones look more like art, and vice versa. Take another example, seeing a white sail appearing in the blue sea or a blue human figure dotting a snow-covered landscape, we will feel a sense of art. A man from city will grow a feeling of art when seeing beautiful mountain view. Similarly, a villager from mountain area will get excited and grow a vague feeling of art when coming to a city for the first time in his life. It tells us that the subjects or entities within our sights may not be necessarily artistic or have any motivation for artistic creation, but the effect they produce is certainly so.

In the wild, when a peacock spreads its tail and displays its fine feathers, it is courting. When a lark sings, it means courting or just being bored. Whatever they are doing, they are not creating art. But for sentimental human beings, their behaviors definitely bear a sense of art.

The sense of art comes from unusualness because it brings freshness, which acts as a necessary and primary bridge linking the two. Rather than being constant, some illusionary sense of art will be abandoned with time and some will be forgotten for no longer being fresh. Only art works that have eternal appeal can be remembered. Such memories will then get duplicated, spread, described with linguistic tools until being accepted by more and more people. The first person who paints, sings or sculpts is not entitled an artist, neither are their works called art in the beginning. They are later categorized as painter, singer or sculptor, all because of a unusualness-activated process, in which people observe, summarize, suspect, observe deeper, and finally reach a consensus.

1.2 Sense of Art Comes from Distance, with Mystique as an Important Source

Distance, temporal or spatial, is a physical concept. From a philosophical perspective, distance sometimes is a precondition for unusualness, in spite of the fact that unusualness is often a product of illusion. Owing to this property, distance plays an essential role in fostering sense of art.

Firstly, let us explain such a role of distance with the example of celestial bodies.

Imagine autumn nights with gentle breeze and deep skies above, sometimes with the bright moon and sometimes just starry. On such nights, men on the earth, raising their eyes and seeing such scenes for the first time, will inevitably have a feeling of joy. What such faraway but amazing views bring to them is artistic in nature. However, for astronomers and astrophysicists, the glittering and enchanting moon or stars are no more than ice-cold or burning globes consisting of soil, rocks or gas. They glow by themselves or reflect the light of other globes, in which way they reach our eyes from somewhere far away in the universe. The feeling or impression they bring to us is surely of art. In other words, the effect they create is artistic, although the globes themselves are not necessarily so or have no motivation to be so.

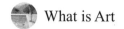

All is because distance leads to mystique (mostly for our being unable to know the true situation), a subtle feeling from the beginning, sometimes with desirable illusions. In general, views rarely seen stir up unusual feelings, which in turn arouse joyfulness until a sense of art is germinated.

There are numerous examples. For one, in the setting sun, a group of African women are busy in the farm land. Each of their postures, bending down or standing upright, and every part of their womanly body, are overwhelmingly artistic in the eyes of the remote oriental residents. But to their husbands, the women may be just laboring wives. For another example, in the eyes of the audience, stage actors are brilliant and dazzling, perfect incarnations of art, but to their spouses, maybe they are husbands or wives rather than art.

Is extramarital affair really irrational? Or must adultery be morally condemned? These questions have long been discussed among sociologists, ethicists and legal experts. One who has a good-looking spouse may also have an affair, because distance produces mystique, surprises, illusions, or desirable associations, which will finally be distilled into the sense of art. Adultery is in nature to meet people's want for art pursuing, immoral as it is. It is often said that distance grows beauty. In fact, it is more accurate to say distance grows sense of art, though this sense may not be that pleasing or moral.

We appreciate antiques as art works mostly in a subjective way. A

common vessel will naturally and inevitably exhibit some artistic feel after hundreds or thousands of years, the so-called temporal distance.

Let us now discuss whether our feelings in seeing photographs are a sense of art or not.

There is a long dispute on whether photography is art, which like paintings, is in planar vision. On the one hand, we, based on our simple intuition, often ask how it can be art when produced through pressing the shutter release. On the other hand, we believe paintings are true art because they are created through very fine and elaborate drawing or carving.

But let us see what tools we use in photographing and the detailed process behind that snap.

A photo is taken in an instant, all relying on complex tools rather than craftsmanship, while painting relies on master skills and complicated process with very simple tools. Actually, this view is neither professional nor rational. From the point of unusualness, a photo is not equal to the objects taken, or rather it is a work of planar vision based on the photographer's judgment for a particular moment. An experienced photographer will first design his techniques like aperture, shutter, light modeling, all for producing a photo that is as unusual as possible as compared with what our naked eyes see. We often say one person is better-looking or otherwise in photos than in reality, which also explains the unusualness of photos from reality. It is such unusualness that leads to the sense of art.

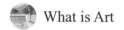

From the point of distance, a photo of the Himalayas is in front of us, but the spatial distance between us and the mountains is enormously huge, say thousands of kilometers. Besides, since the photo is taken in an instant, the temporal distance here cannot be ignored. Even if we come before the real Himalayas, it is impossible for us to get the same feelings as when we see the photo. For the best, we may feel some familiarity.

In the light of the two properties of the sense of art—unusualness and distance, photographs can be categorized as art. We can also use the two properties to help decide whether our feelings generated in reading, watching or listening to other types of works, such as literature, painting, drama, dance, movie, architecture, and so on, are artistic or not.

Campbell's Soup Cans
Andy Warhol

Two Processes of Artistic Creation

The birth of an art work usually goes through two processes: physical process and cultural process.

2.1 The First Stage: Physical Process

To be a piece of art work, it mostly relies on physical dissemination, sometimes accompanied by a chemical one: music through sound waves, painting, photo, sculpture, and stage show through light waves (as for literature, writings are transferred through light waves into meanings), and cuisine through the molecular contact of taste, which is mainly physical, sometimes chemical.

Without this stage, a rock or a piece of clay cannot turn into a sculpture; canvas, paper, brush and ink cannot make a painting; paper and pen (computer now) cannot become literature; musical notes and instruments, not music; cameras, objects and lights, not photographs; and

 What is Art

workers, machines and materials, not architecture.

Physical process, to put it simply, is a process of handling and making. Sculptors complete a work with carving knife, hammer and chisel, painters with paint and brush, music players with musical instruments, writers or poets with pen and paper (computer or smartphone now), architects with blueprint to assign work, and so on. Thus done, artistic creation — that of the sculptures, paintings, novels, poetry, musical performances, photos, architectures — is complete in the physical process.

2.2 An Art Creator's Own Cultural Process Accompanies Physical Process

Cultural process falls into two procedures: pre- and post-processes.

Cultural pre-process (also called emotional process) always goes along with physical process and is finished by the creator personally, which means most artists have clear motivations before and during their creation. In this pre-process, artists constantly improve their works and input spirit into them by physical means, until they possess some unique quality of art and appear so vivid, dreamy or bizarre. However, such process often has great limitations. When physical process ends, it also ends and therefore its effect is limited.

Cultural post-process refers to a cycling process in which our motivations, feelings and imaginations toward things including art works, are disseminated by means of language and through which things or art works are endowed with artistic life and value, often unexpectedly and sometimes infinitely.

2.3 Cultural Post-Process Goes Separately from Art Works and Their Creators

Cultural post-process, although based on the uniqueness, quality and spirit of art works, begins after the birth of the works. It is a process truly cultural, complex and forever continuous until it gets far away from the creators' original motivations. It is a process in which a subject, influenced by one's own imaginations, experiences, religions belief national pride, social positions, and economic benefits, dilates his or her feelings and passions toward specific things including art works in a manipulative way. This process contains huge energy, sometimes even beyond imagination, so its effect on art works is remarkable. Van Gogh's painting *Sunflowers* and Salvador Dali's *Bocca Sofa* represent the pinnacles of effect produced by such a process. As time goes on, more value will be endowed to art works as more and successful cultural processes undergo. Never would van Gogh or Dali have had the least idea that their works receive such high-grade appraisal today. On the contrary, they might have regarded them as ordinary. However, cultural post-process never stops with the

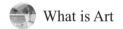

change of times as long as they are presented in numerous exhibitions and business operations. Generation after generation of people show undiminished interest and zeal toward them. Their deceased creators could never have imagined such ardent love bestowed upon them. In the light of this, be it *Sunflowers* or *Bocca Sofa*, they are in a sense works jointly created by the artists and their followers all over the world, with the latter undertaking a gigantic project of cultural post-process.

Not only artificial works, but natural objects, such as a rock, an ancient pine tree, or even things intangible, may experience cultural post-process. With the efforts of generation after generation, their artistic life and value will eventually be born. For example, Yingkesong (Guest-greeting Pine) is originally a common and nameless pine tree in Huangshan Mountain. When people give it a name, the cultural post-process begins. As more and more visitors including traveling experts, photographers, and painters describe its features all by their own imaginations with linguistic tools as a way of exhibiting their emotions and ends, the tree becomes increasingly peculiar and extraordinary as compared with other pines. Thus unusualness and distance are artificially created. Today, in visitors' eyes, Yingkesong is totally a symbol of art. Similar examples include the legend of Liu Sanjie, of Chang'e, of Fairy Peak, etc., to name a few.

It is noteworthy that art works including paintings, sculptures, architectures are not reproducible. Such uniqueness determines that the cultural post-process they undergo will be intensified by constant business operations. In the end, business operations become dominant over and are in turn justified by the cultural post-process, which we call a "self-coupling" phenomenon. As long as there is market for such art works, cultural post-process will not end. However, literature and music (especially composing) are not so lucky. Novels, poems, or scores are duplicable and their samples not so unique, hence with little value for business operations.

You may ask: Aren't the manuscripts of literary works or music scores invaluable? Indeed they are. However, their value can only be compared to that of painting or calligraphy works, rather than to that of their corresponding works. From the way of naming, we can see the gap in between. We say Flaubert's manuscript of *Madame Bovary* or Lu Xun's manuscript of *For Memorizing the Forgotten*, which shows the value of the manuscripts is independent from the works themselves, and even if there are some links, they are not strong at all.

Therefore, cultural post-process for such works is a tough task, for which business operations are not active, to say nothing of "self-coupling" phenomenon.

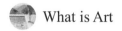

3

Two Types of Tools for Artistic Creation

Apart from physical tools, conceptual tools at the philosophical level are also needed in artistic creation, which we may classify into two types: routine tools and technique tools. The former refers to tools we can use without much professional training, such as languages for writing, fully automatic cameras for taking photos, physical gestures in performance, and so on. The latter refers to tools we cannot command without strict training, e.g., how to play musical instruments, how to compose with notes and instruments, how to adjust vocal chords and breath in bel canto, how to move limbs in ballet, acrobatics and rhythmic gymnastics, and so on. The particularity of the latter lies in the fact that we cannot acquire them on our own or without time-consuming professional training.

Some tools are hard to be classified into either of them, such as brush techniques of calligraphy, or techniques of folk and popular songs, because we can acquire them both through personal understanding, long-time thinking and practicing, and through expert training. Therefore, tools

for artistic creation can be different, sometimes in an essential way, which is a question worthy of serious and further study.

3.1 Features of Routine Tools

Take writing for example. About one or two centuries ago, only a few people were literate, so for that time writing should belong to the category of technique tools. Nowadays, when most people are literate, literary creation should belong to routine tools. In today's world where "Writing, like talking, can be done by any person" we can engage in literary creation as long as we have the confidence and enthusiasm. Facts tell us that most writers, full-time or not, almost all start from being amateurs, since the tools they use are very accessible. When they get into this field, some will harvest enough inspirations and skills to produce good works, even classics, while some will get lost in mediocrity.

As a product of technologic progress, digital cameras have become household commodities or even a bit outdated ones, since smartphones with the function of taking quality photos are very popular now. Therefore, the tools of photography, an art as it is, are becoming routine, which trend has been intensified by convenient smartphones with increasingly satisfying shooting effect.

Movie or drama acting is also such kind of art created with routine tools. But many drama or movie academies have relevant theoretical

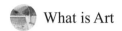

What is Art

courses. Students are often spoon-fed the ideas or theories of Mei Lanfang[1], Stanislavski[2] and Brecht[3]. I think it's wrong and misleading to exaggerate the role of these theories or to turn such art into the category of technique tools. Technically speaking, the so-called "performance system" is no more than summarization from experiences and its value is for reference rather than guidance. Many brilliant actresses or actors, such as Shangguan Yunzhu[4], Chow Yun-fat[5], Arnold Schwarzenegger, etc., have neither received any professional training nor been taught this performance system.

Movie or drama acting is an art that represents realities to the utmost. For a character, the script writer may not give very specific or model description, so the player must rely on his or her own understanding. Since we all have different life experiences, no two persons can play the same character without differences. Such inexactness often produces

---

① Mei Lanfang (1894-1961), an eminent Peking Opera artist of China, famous for his unique and briliant play of female roles.

② Konstantín Stanislavski (1863-1938), a Russian theater actor, director, educationalist and the co-founder of Moscow Art Theater, famous for his "Stanislavski Method of Acting."

③ Bertolt Brecht (1898-1956), a German poet, playwright, and the founder of "Epic Theater."

④ Shangguan Yunzhu (1920-1968), one of the most talented actresses of China during the 1940s and 1950s and one of the 100 best movie actors /actresses of China in the 20th century.

⑤ Chow Yun-fat (1955-), a famous actor of Hong Kong, China, with an international fame.

unusualness and distance, which in turn will intensify audience's sense of art. Charlie Chaplin snd Zhao Benshan[1] are perfect examples of inexact acting with overwhelming popularity. One reason is that they use routine tools to act in an exaggerating way rather than follow certain theories or try to turn routine tools into technique ones.

But it doesn't mean artistic creation by routine tools is easy. A work's success mostly depends on its creator's talents, sensitivity and diligence. In other words, a talented person who is ready to try and learn from experience will get faster in using routine tools in a masterly way and is more likely to succeed. In contrast, those who deliberately mystify artistic creation and attempt to turn routine tools into technique ones or to exclude those using routine tools, are silly and ridiculous enough and can hardly get their way.

3.2 Features of Technique Tools

Song writing and instrument playing are typical creation with technique tools. The creators must have time-consuming training on how to use tools before they can create any of such works. The barrier between creators who master such tools and ordinary people who don't makes

---

[1] Zhao Benshan (1957-   ), a Chinese comedian, actor, TV drama director and a businessman in the trade of arts.

musical creation seems mysterious. For ordinary people, it's a tough thing to engage in such creation and their role is only audience or consumers. Ballet and some types of fine arts belong to this category of arts created with technique tools. We may judge them to be good or not, but when asked to say more details, we may find ourselves helpless.

With computer's popularization, creations originally relying on technique tools may become creations with routine tools, since computer makes mechanical and repetitive technique tools easier to operate. Ordinary people can use computers to compose a music or to program instrument playing. They can even self-direct and edit good film videos with a DV, a computer, or even a smartphone. Of course, the quality of their artistic elements have much room for improvement, but this gap will gradually be filled with technologic progress. In the light of this, the popularization of art creation or the trend of daily life becoming more artistic, is inevitable.

Mr and Mrs Clark and Percy
David Hockney

Features of Art Works

An art work usually has some basic features for being regarded as art. To put it simply, things like a natural object, an article, a story, a piece of music, a picture, etc., must have some representational features to be truly good art works.

4.1 Illusionariness, Exaggerativeness and Deceptiveness

Good art is supposed to be illusionary. Seeing a peak, we may associate it with a graceful maiden, which is when the sense of art arises. Then we may name it Goddess Peak, regardless of its true nature as a peak. Such is the result of illusion.

In literary text, lines like "The bird, like a leaf, falls upon the ground" or "The leaf, like a bird, falls upon the ground", will bring about artistic feelings. If it says "A bird falls upon the ground like a bird" and "A

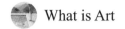

leaf falls upon the ground like a leaf", or "A bird falls upon the ground" and "A leaf falls upon the ground", it can hardly arouse feelings of art. There has been a doubt on the artistic nature of photography. For one reason, photos are too accurate to be illusionary. Interestingly, photos that are distinct from realities are highly appreciated. This explains why art should possess illusionariness. In fact, most movie scenes like falling in love, war fighting, etc., are not representation of realities at all but outcomes of processing with illusionary elements. No matter what, the audience believe they are true and authentic. The World War II were fierce and tragic enough, but by no means like scenes in *Saving Private Ryan*. Ironically, if a movie truthfully represents the war scenes of this story, few would have the desire to watch it. Here the paradox is that art works, illusionary, exaggerating, or extremely deceptive as they are, are always deemed as something authentic and touching, something admired by the audience with true passions. Such is the law of our spiritual pursuit: being stimulated—to associate—back to the real world—being stimulated again—to associate again. For example, the true *Mona Lisa* might only be an ordinary lady. But in Leonardo da Vinci's painting, deceptively, she becomes an image combining the real and the unreal, a figure full of illusion and exaggeration and a woman entrancing numerous audience all over the world. Art creators who master this law will never go astray, because they clearly know realistic art doesn't equal reality, abstract art must have concrete references, otherwise art works cannot maintain their vitality.

The commonly held view that "Art comes from life and goes beyond it" is in fact not accurate enough. It's more proper to say, "Some types of art come from life, but the superb one often distinguishes itself and life in a subtle and traceless way." This better explains the audience's emotional development in appreciating art works. The question whether art should go beyond life or not or whether it is necessary to be so, is not within the category of art at all.

In a word, art works or things that can stimulate audience's feeling of art must possess features of illusionariness, exaggerativeness and deceptiveness.

4.2 Deliberate Inexactness Between Likeness and Unlikeness

The ultimate pursuit of artistic creation is to be deliberately inexact and to go between likeness and unlikeness. "Likeness" is the foundation. With this foundation, an artist can turn "unlikeness" into a brilliant outcome representing his skills, inspirations and wisdom. Without it, his art creation will end up with typical shoddy works.

When an artist is a master of "likeness", the "unlikeness" he creates represents his quest for unusualness and distance to the utmost. Such deliberate inexactness means higher artistic value and vitality. For example, watching van Gogh's *Sunflowers*, we know they are sunflowers,

not corn pancakes (how awful if we take them as pancakes!). However, we have never seen such sunflowers in real life and they are far more beautiful and catching than real ones. Such deliberate inexactness, of course, should be under perfect control of the artists.

For another example, painters are very particular with perspective effect. But if he follows strictly optical see-through (physical perspective) as used in cameras, his painting will look rigid and dull. A master of painting techniques will make a choice between the two perspectives, physically and emotionally. Following the former will result in the latter being inadequate or even ridiculous, whereas combining the two in a subtle way, will highlight the painting's theme and greatly increase its artistic value.

According to experts in acoustics, the reason why symphonies are so moving and breathtaking is that the harmony produced by the inexactness of every instrument involved. If they are all of the same intonation in play, they will cause strong acoustic waves with awfully piercing sound effect.

In general, successful art works must possess the following features-illusionariness, exaggerativeness, deceptiveness, deliberate inexactness, and go between "likeness" and "unlikeness".

Conclusion

The Internet has made the threshold of arts easier to be crossed and works of literature, paintings, music, film videos can be easily uploaded and downloaded, ready to be tested by netizens all over the world. We can get knowledge and techniques on artistic creation from the Internet and exchange our views very conveniently. With technologic progress, more and more technique tools will become routine ones. Easy access to information makes cultural post-process unprecedentedly active, which can partly explain the rise and fall of painting prices in recent years.

In such an age, our way of communication has changed greatly, so has our way of seeing and solving problems. Our daily life, emotions and values have changed, so it is with art in terms of how we perceive it and our means of creating, exhibiting or evaluating it. In the light of this, we have enough reason to call the age of the Internet a novel time of art.

Hopefully in future the question of what art is will become a common sense of people's daily life.

3

芸術とは何か

孙芊芊　译

はじめに

　本書は芸術の本質的な特徴から着眼し、哲学のレベルで芸術感、芸術創作の法則及び人々が芸術を鑑賞する際の感情の方向性について奥深い解析を行ったものである。芸術感覚の形成条件を分析し、芸術創作のプロセス及び芸術創作のツールに対する分類を行った以外、芸術作品の主要特性についても独特な視角から論述を行った。

　本書は「芸術とは何か」という問題を哲学的な考え方で回答した。そのため、芸術研究に関する一連の新たな概念と方法を打ち出し、芸術及び芸術創作に対する認識の飛躍だと言える。

　本書におけるたくさんの観点は著者自分のオリジナルな考え方である。収録された内容の一部は、著者が世界各地にある大学講演会で言及し、サロンでも熱論されてきたものである。これらの目新しく、独特な観点はすでに文化芸術理論学者に大きな関心を持っていただいている。

　本書は、文学と芸術研究の参照系と方法が統一できないという文学と芸術研究における長く存在している課題を基本的に解決

した。この点から見れば、本書は重要な学術的な価値があるに違いない。

　ここで、これらの観点を専門書の形でまとめ、八ヶ国語で出版し、世界中のより多くの文芸理論研究者、愛好者に参考となるものを提供する。本書に書かれた一部の内容は、芸術創作者や文化産業の従業者にとっても重要な参考価値があると考えられる。

　本書は専門書として、文字数の少なさが手短と言ってもほどがあるくらいと言われるかもしれないが、観点をはっきり説明しており、複数の問題点を解決したので、これ以上余計な文面は必要がないのではないかと思う。

聶聖哲

2020年10月

姑蘇城外の改華堂にて

目　次

　何が芸術なのか? 芸術とは何なのか? これは一つの質問に対する二つの表現で、その本質はいずれも芸術と非芸術の区別を定義しようとすることである。長年以来、人々は「水と火」、「黒と白」のように、芸術の範囲と境界をはっきり定義付け、芸術と芸術ではないものを分かりやすく判断しようとする。残念ながら、芸術の表現形式のダイナミックな変化と芸術の様々なシンプルな定義のせいで、人々は物事の芸術性に向き合ったときに、感性的に判断することしかできない。ひいていえば、人々が芸術に対する定義は、他人の言ったことを受け売りする中で行われきたという情況も少なからず存在する。

　芸術について精確で、人々に幅広く受け入れられるような定義がなければ、我々の芸術創作、学術研究、考え方、文化の表現、素養のレベル、さらに道徳論理まで深刻な影響を受けてしまう。歴史の経験を見る限り、このような影響が大きなものであり、人類社会文明の進歩もその影響で途絶えてしまうかもしれない。

　実は、芸術を定義するにはまず芸術的感覚を定義することである。これは生理的レベルから哲学レベルへ遷る課題である。芸術的感覚は、人々が世界を認識するダイナミックなプロセスから

生まれ、このダイナミックなプロセスによって、芸術の定義に対する人々の感性的な変化を招く。このような感性的な変化は芸術の定義を哲学の本質から離脱して世俗化させ、最終的に哲学のレベルから芸術を定義する意義を見失うことになる。ゆえに、今まで芸術を定義するための公認の基準と参照物も未だ形成されていない。

　一般的には、芸術の感覚は最初に様々な非日常化、非一般化的な突然現れる新しい要素から生まれ、人々が官能的な刺激を受け、このような刺激はしばしば予想外の出来事から始まるものである。ただし、どんな刺激も時間が経つと感覚がマヒしていくのが客観的な法則である。ただ、より多くの人が同じ要素に刺激されて感懐すると、マヒした人々が徐々に目を覚まし、その感覚がもう一回アクティベートされ、またマヒしてしまう…このような繰り返しの過程を普遍的に取りまとめると、まず感覚から始まり、次に感情として帰結され、そして言葉というツールで抽象化し概要的に定義づけられる。そうすることで多くの定義が伝わってきた。

　「芸術とは何か？」という課題を研究するには、芸術の感覚や芸術創作のプロセスや芸術創作のツールや芸術作品の特殊な属性という4つの問題を明確にしなければならない。

芸術感覚が生まれる二つの外部条件

1.1 まず芸術感覚は相違性によるものである
——新鮮感は芸術感覚の初期状態

　　原始人類の最初の芸術感覚は、恥を隠すための葉っぱから
きたかもしれない。若しくはとある古人、リズムに乗って快歌い
から生まれたと仮設しよう。裸体と乱雑な叫び声になれた原始人
の前に突然現れたこの葉っぱのインパクトはらかなものである。
第一声の韻律のある歌いは快いものであるとは言え、聞く方から
すると、その感覚はあくまで新鮮感と意外感に過ぎない。ごく少
数の人が葉っぱで恥を隠すようになった時点から、違いが生まれ
た。この違いこそ一種の新たな状態であり、状態に相違があれば
ポテンシャルエネルギーが生まれる。このようなポテンシャルエ
ネルギーをなくすためには、エネルギーの躍進を完成させなけれ
ばならない、そしてこの躍進には、時間、知恵、勇気、更にはテ

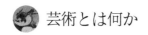 芸術とは何か

クニックが必要となる。

　従って、芸術感はまず相違性から生まれるものである。例えば、視覚的にカラーの画像に慣れたときに、黒と白は芸術になる。逆に言えば、白黒の世界に突然現れたカラーも芸術になる。また、ブルーの海面に、一枚の白い帆が現れると、人々はそれを芸術だと受け止める。真っ白な雪原に青い人の姿が突っ張ると、芸術的な感覚を人に与える。なお、都市で長く住んでいる人は、美しい山を訪れると、芸術的な感覚が生まれるはずである。その逆のバージョンも同じように、長い間山の中で生きてきた人が、初めて都会に来たときの興奮感も、朦朧とした芸術的感覚だと言える。以上のいくつかの例から、これらのイメージを生ませた主体には、必ずしも芸術性があるとも言えないし、芸術創作の動機があるとも限らないが、これらのイメージから生まれた効果は完全なる芸術的なものである。

　この法則は、ひばりの歌声や羽を広げる孔雀から裏付けることもできる。孔雀は単なる配偶を求めるために羽を広げ、ひばりが歌う目的は配偶を求めるためか、若しくはつまらなくなっただけかもしれない、決して芸術創作をしているわけではない。だが、感情の豊富な人間から見たら、これらの現象から生まれた感覚は、芸術的なものに該当するはずである。

　芸術感は、まず相違性から生まれる。その理由と言うと、相違は新鮮感を招き、この新鮮感は芸術感の初期段階であり、不可

欠で抜けられない段階でもある。芸術感は決して変わらないものではなく、時間が経つと多くの錯覚から生まれた芸術的感覚は捨てられる。それからますます見慣れられて視線から消えてゆく感覚もある。永久的な感覚占有力を持つ物事だけこそ、人々の記憶に長期的に残るのである。このような記憶は何回も繰り返され、伝わられ、さらに言語ツールによって描写されると、あるタイプの芸術的感覚がますます多くの人に認められる。初めての絵、初めての歌、初めての彫塑のように、その作品らが当時芸術として認められなかったのと同じ理屈である。その人たちががて芸術家として区分されたのは、日常生活の相違性が芸術感上の刺激を起こし、そして認識、まとめ、疑い、再認識、最後にコンセンサスに結びつくプロセスが生まれたからである。

1.2 つぎ芸術感覚は距離感によるものである
——神秘感は芸術感覚の重要な源

距離というのは、空間的距離にしても時間的距離にしても、物理学のコンセプトである。哲学の視点から言えば、距離は相違性を生ませる条件でもある。もちろんこのような相違性が通常錯覚によるものであることは承知の上である。距離にこう言った特別な属性があるからこそ、芸術感の形成プロセスにおいて極めて

芸術とは何か

重要な役目を果たしている。

　まず、天体の芸術感に関する例を挙げて、この役目を説明しよう。

　そよ風が吹く爽やかな秋の夜、時には白く明るい月が大地を照らし、時には星がキラキラと輝くこともある。地球の上で暮らす人々は、初めて星や月を見たときから、心から自然と喜びが生まれ、このような空の彼方にある美しい景色が人に残してくれた感覚は、本質から言うと芸術的なものである。天文学者や天体物理学者にとって、これらの美しい光を放ち、幻に充満している星は、本質上冷たくて、または熱い球体にすぎない。実際は自然で形成された泥や岩石や気団で、自分で光を放つか、他者の光を反射して、遥か遠い距離を通じて人たちの目の前に現れているだけである。しかし、この星たちが我々に残してくれた感覚は間違いなく芸術的なものであり、残してくれたイメージも間違いなく芸術的イメージである。無論、これらのイメージを生じる主体は必ずしも芸術的特性を有するものでもなく、芸術創作の動機を持っているわけでもないが、生じた効果は完全なる芸術的なものだと言える。

　これは距離感が神秘感を招くからである（徹底的に理解できないため）。このような神秘感はまずぼんやりした感覚であり、イメージが美しくて錯覚が伴うものである。人々は普段及び身の回りで見られない光景を見て、感覚に違いが発生し、喜びが激発

され、最終的に芸術的感覚が萌える。

　距離感から芸術的感覚が生じる例は山ほどある。例えば、夕日の下でアフリカの婦人たちが畑で働いているところを我々東洋人が見ていると、彼女たちの直立、彼女たちの立てたり腰を曲げたりする姿……彼女たちの一挙一動は、ほとんどが異邦の美に当てはまる。一方、彼女たちの夫にとって、これはただ自分の妻が畑で働いている姿だけである。また、一般人の前で輝いてオーラを放つタレントたちは、その芸術的感覚が言うまでもない。だが、彼らの配偶者の前となると、単なる妻や夫であり、その芸術的感覚が大きく劣るのであろう。

　不倫の存在が合理的なのか、浮気をしたら道徳の審判を受けるべきなのか、これは社会学者、論理学者及び法学者が検討する問題である。だが、不倫の本質について言えば、距離が芸術感を生じる生活上の実例かもしれない。現実の中で、素敵な配偶者を持っていても浮気をする人がよく見られる。このような距離から生まれた芸術的感覚は、あくまで神秘感、驚愕感、ひいて言えば錯覚或いは目的連想の富んだ幻覚から昇華して、芸術的感覚に転じたものである。距離から美しさが生じるるとよく言われるが、実は、このような説は精確だとは言えない。厳密には、距離から芸術的感覚が生じるというべきである。この感覚は美しいものである可能性があれば、美しくないものである可能性もある。いずれにしてもこの感覚が芸術的感覚であることは間違いない。

芸術とは何か

　文化財が我々に与えた感覚は、主観的芸術性の割合が大きい。もともと平凡な器あるいはツールは、数百年、さらに数千年を経てから神秘感が自然に生まれ、これは時間的な距離による芸術の感覚である。

　さて、人々が撮影作品を見る時の感覚は芸術的感覚であるか否かについて検討しよう。

　撮影は芸術であるかどうかという話題をめぐって、長時間にわたって争論されてきた。特にこれと絵が表すのは画像（グラフィックビジョン）であり、つまりグラフィックのビジュアル作品である。人々は素朴な感情で次のような判断を下しがちである。シャッターを押すだけで、写真一枚しか出ないことは、芸術だと言えないだろう？一方、絵は画家が画筆或いは刃でこつこつと丹精を込めて創作した作品だから、このように出来た絵（グラフィックビジョン）は芸術だと言えるだろう。

　これから撮影のツールとプロセスを分析してみよう。

　撮影は複雑なツールによって一瞬で作品が出来上がる。絵画は簡単なツールで複雑な創作をする。撮影はシャッターを押すだけで写真を作ることができ、テクニックが要らない。絵画はテクニック性が高い……実は、このような判断の基準が表面化しすぎ、さらに感情的になりすぎるのである。その相違性から判断しよう。まず、写真はこの写真の実物の産物だとは限らない、それは撮影者がとある瞬間の感覚的な判断を元に記録されたグラフィ

ック作品である。ベテランの撮影者は、しぼり、シャッター、ライトモデリングなどの手法からデザインすることがある。こうやって撮られた写真には、目で見られるような実際の景色と違って、もっと大きな相違性がある。現実中にこの相違性をリアルに説明できる言葉がある。それは、写りがいいかどうかということである。この言葉は撮影作品と実物の相違性に関する本質をよく反映できる。写りがいいか悪いかを問わず、いずれも現実中のこの人ではない。レンズが記録した世界は、目で見る世界と違うので、その相違性から芸術感が生まれる可能性がある。

　ついでは、距離性からも分析してみよう。例えば、ヒマラヤ山脈の写真が私たちの目の前にあれば、我々が見たのは、かなり離れたところから撮られたヒマラヤの写真で、空間的な距離が非常に遠い。また、それはとある瞬間の画像記録であり、時間的な距離も明らかに大きい。この写真を持ってヒマラヤ山脈に行き、写真から感じた感覚を見つけたいなら、「この場所は少し似ているようだ」との感覚しかないだろう。

　それで、芸術感の生まれる相違性、距離感の二つの特性から判断すれば、撮影作品の芸術感は明らかに存在するものである。文学・絵画・演劇・ダンス・ビデオ・建築などその他の形式の作品は、人々がこれを見たり、鑑賞したり、聞いたりするときに、この二つの特性によって芸術特徴があるかどうかを判断することができる。

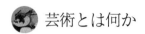

芸術創作の二つのプロセス

　芸術作品が誕生するまで二つのプロセスが必要となる。即ち物理的処理プロセスと文化処理プロセスである。

2.1　物理的処理プロセスは芸術品が誕生する第一歩

　いかなる芸術品が芸術品だと言えるのは、物理的な形で伝播されるからである。音楽は音波、絵画・撮影・スタイリング・パフォーマンスなどのビジュアル芸術は光波（文学も光波を利用して文字コードを送信してからコンテンツに転化するものである）を通じて伝播されるものであり、調理芸術は味覚の分子を通じて接触し、主に物理的プロセスだが、化学的プロセスの伝播にも伴われる。

　芸術創作の前に、彫刻はただの石か土でしかない。絵画は画布と紙、筆、インクにすぎない。文学は筆と紙（現在はパソコン

であるが）、音楽は音符と楽器、撮影はカメラ、対象物と光である可能性がある。建築は建設労働者、建築機械及び建築材料のままである……

　物理的処理のプロセスは、簡単に言えば加工と制作のプロセスである。彫刻家は彫刻刀、ハンマーとノミを使い、画家は絵具と画筆を使い、演奏家は各種楽器を使い、作家や詩人は紙と筆（今はスマホ或いはパソコン）を使い、撮影家はカメラを使い、建築家は図面を使って建築労働者を指示する……すると、彫塑、絵画作品が完成させられ、小説や詩歌も出来上がり、音楽が演奏され、写真が写され、建築物も建てられる。つまり、芸術創作の物理的なプロセスが終了したのである。

2.2　創作者自身の文化処理プロセスに
物理的処理プロセスに伴って行われる

　文化処理には文化の「前処理」及び文化の「後処理」という二つのプロセスに分けられている。

　文化前処理プロセス（感情処理プロセスともいう）は最初から最後まで物理的処理プロセスに伴って存在し、創作者が自ら完成させるプロセスである。芸術家は創作をするとき、明確な芸術動機を持っているのは一般的である。このような動機は、創作の

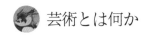 芸術とは何か

フルプロセスに伴い、これは文化前処理というプロセスである。
このような文化処理プロセスが行われることで、芸術家が物理的
処理プロセスにおいて自分の創作を修正したり改善したりし続
け、生き生きとした作品、あるいは夢まぼろしや不思議さに溢れ
る作品を作るようにし、もっと芸術特質のあるものとして仕上る
ことができる。但し、このような創作者自身から生まれる文化前
処理は、大きな局限性がある。このプロセスは、物理的処理プロ
セスの終了に伴って終了するので、その効果が限られている。

　文化後処理プロセスは、人々が芸術品を含めた物事に対し
て、様々な目的、感情、それから無限な想像を持って、言語ツー
ルによって伝播され、繰り返すプロセスである。このプロセスは
作品と物事にもっと多くの芸術生命と価値を持たせることがで
き、また思いがけない効果が出ることがあり、無限に広がること
もある。

2.3　文化後処理プロセスは作品及び
創作者自身から遊離している

　文化後処理プロセスは作品の個性、品質及び魂の上で出来
上がったものであるが、作品が誕生してから本格的に始まること
が多い。文化後処理は本格的な文化処理であり、非常に複雑で永

遠の止まることのないプロセスである。その結果が創作者の初心
からかなりかけ離れてしまうこともよくある。このような文化後
処理は作品或いは物事に対する感覚であり、想像と個人の経験、
様々な目的、宗教信仰、民族的プライド、地位、経済利益、戦争
略奪などを以って無限な想像を展開し、または人的操作と芸術的
感情を拡大し続けるプロセスである。文化後処理プロセスによる
エネルギーが想像できないはど巨大だと見られる。人工で創作さ
れた芸術品に文化後処理を加えた効果は明らかである。例えばヴ
ァンゴッホのひまわり、ダリの唇ソファ、いずれも文化後処理を
極めた産物である。また、時間の推移に伴い、より良い文化処理
はこれらの作品により多くの価値を持たせる。実は、当時のヴァ
ンゴッホやダリ自身でさえ、自分の作品を今のように高く評価し
ていたどころか、むしろ心細くて、自分の作品が笑われるのでは
ないかと心配していたかもしれない。だが、歴史の変遷に伴い、
特別な社会経歴、途絶えることのない展示と意図的な神秘、ビジ
ネスのやりくり及び代々注目されたりすることによって、これら
の作品の文化後処理を続けてきた、しかも益々激しくなり、処理
すればするほどテンションが上がっていく。こう言った現象は、
これらの作品の創作者たちが想像もしていなかったものである。
もしあの世に行っている彼らがこんなことを知ったら、恐らく嬉
しくて仕方がないのだろう。従って、この視点から言えば、ひま
わりや唇ソファなどの作品は、ヴァンゴッホやダリとその後世界

中の注目者が力を合わせて創作した作品だと言える。なぜなら、この莫大な文化後処理プロセスは後世の人たちが完成させたものだからである。

　人工で創作された作品のみならず、自然物或いは虚無物にも文化後処理される可能性がある。例えば、山にある岩、古い松の木でも、代々の人たちの文化処理を経過すると、芸術生命と価値を表すことができる。

　黄山にある迎客松を例とする。黄山にあるこの古い松の木は、もともと自然でできた松であり、名前すらなかった。迎客松と名づけられたのは文化後処理である。観光客の増加に伴い、迎客松を目にした旅行家、撮影家、画家たちは皆自分の想像によって、迎客松の特徴を描写してきた。このような描写には感情的な色彩或いはとある目的がある。言語ツールの伝播を通じて、迎客松を益々特別な存在にし、元々相違性も距離感もなかった自然で生長した松の木は他の普通の松と違うものになってきた。今の迎客松はたっぷりした芸術体験を鑑賞者にあたえることができる。実は、劉三姉の伝説、月宮嫦娥の伝説、神女峰の伝説は、いずれも自然物或いは虚無物に文化後処理を加えて芸術感覚をもつものになった代表的な例かもしれない。

　ここで特別に指摘しておきたいのは、絵画、彫塑、建築などのコピーのできない作品の場合、その唯一性が原因で、文化後処理はビジネス的なやりくりに伴って強化されていき、最終的に

はビジネス運営が文化後処理を主導する形になりかねない。一方、文化後処理はビジネス運営に様々な自分の説のつじつまを合わせるような解読を齎した。このような文化処理とビジネス運営の「自動結合」現象によって、これらのタイプの作品は市場さえ存在すれば、文化後処理が絶えることがない。一方、文学や音楽（特に作曲）などの作品はさほどラッキーではない。比較的に小説、詩歌、楽譜はいつでもコピーできるものなので、見本の唯一性がなく、ある程度で言えばビジネス運営の価値を失っているからである。

　文学作品、曲譜の原稿にもかなりの価値があるのでは？と質問する人がいるかもしれない。それは確かにそうだが、あくまで原稿の芸術価値は、書道や絵画の価値を同じで、文学作品と音楽の価値とは相対的に分離したものである。それらの名前から、作品自身との違いが分かる。例えば、フローベールの「ボヴァリー夫人」原稿、魯迅の「忘却のための記念」原稿……これらの原稿は作品自身の価値から独立したものであり、文学、音楽作品自身の価値と関連があったとしても、弱関連に該当する。

　従って、文学、音楽のような作品の文化後処理はかなり難しいものであり、ビジネス運営の実行性がもっと弱いので、文化処理とビジネス運営の「自動結合」現象も現れるわけがない。

3

芸術創作の二つのツール

　芸術創作にはツールが必要である。物理学上のツール以外、哲学レベルのコンセプトルールというものもある。とりあえずこの哲学レベルのツールを「日常ツール」と「テクニックツール」と分けよう。日常ツールとは、人々がさほど専門的なトレーニングを受けなくても使えるツールを指す。例えば、文章を書くときに文字を使うこと、撮影時にオートカメラを使うこと、パフォーマンスで肢体を使うことなど。テクニックツールとは、かなり厳しいトレーニングを受けないとマスターできないツールを指す。例えば楽器演奏と作曲家が楽器と音符を使うこと、ベルカント俳優が声帯や気息をコントロールすること、バレエ、サーカス俳優、体操選手の肢体運動など。テクニックツールは、必ず長時間の専門的なトレーニングとプロによる指導が必要で、自分一人で身につけることが難しいという特徴がある。

　「日常ツール」と「テクニックツール」の判定が難しい場合

もある。例えば、書道のテクニック、民謡及びポップの歌唱テクニック、特定の美術手段など。これらの分野のテクニックは、個人のセンスや長時間の琢磨から悟ることができるときもあれば、専門的なトレーニング及び指導を必要とするときもあるので、日常ツールであるかテクニックツールであるかと判断することが難しい。そのため、同じ芸術創作でも、使うツールには区別があり、本質的な違いさえ存在する。これは非常に重要な問題であって、しっかりと奥深い研究をする価値がある。

3.1　日常ツールの創作特徴

　文章を書くことを例にしよう。百年か二百年前、字を読める人が少なかった。一方、現代人のほとんどが字を読めるので、文学創作は完全に日常ツールに該当するはずである。なので、現在の世界は、すでに「文章を書くことは話すように、誰でもできること」というような時代であり、自信さえあれば、基本的に誰でも文学創作を行うことができる。事実上、大半の作家は、プロフェショナルであるか否かを問わず、ほとんどがアマチュアから出発していた。彼らが使用しているのは日常ツールなので、ハードルがさほど高くなくて、誰でも自由に始められる。その後インスピレーションと経験の積み重ねによって、腕の差が現れ、佳作は

芸術とは何か

　もちろん文学のクラシック作品まで創出する作者もいれば、平凡のままで消えていくものもある。

　技術の進歩に伴って、今デジタルカメラを一台買うくらいはごく普通のことで、むしろ時代遅れだと言っても過言ではない。今のスマホでも優れた撮影機能を持っているものが多い。そのため、撮影は芸術だというものの、使っているのは日常ツールである。スマホの撮影機能の向上に伴い、その便利性で撮影ツールは益々日常化になりつつある。

　映画やドラマの演出は、撮影よりも日常ツールを使って創作される芸術である。今たくさんの演劇専門学校や映画専門学校（俳優養成所）が設けられ、しかもこれらの専門学校に様々な理論課程が開設しており、いわゆる「梅・ス・ブ」[①]の京劇理論、スタニスラフスキー[②]・システム、ブレヒト[③]の演劇理論）に対して様々な解釈やレンダリングを加えている。しかし、彼らの見地或いは学説を演劇理論として、学生に強制的に詰め込み、映画やド

---

① 　梅蘭芳（1894-1961）：中国京劇芸能の巨匠で、「梅派」芸術の代表的人物、中国女形創芸立派の第一人者である。
② 　コンスタンティン・スタニスラフスキー（1863-1938）：有名なロシアの俳優、舞台監督と演劇の教育家、スタニスラフスキー体系の創立者、モスクワ芸術劇場の共同創立者である。
③ 　ベルトルト・ブレヒト（1898-1956）：著名なドイツ演劇理論家、劇作家、詩人である。 叙事劇理論の基礎を築いた人である。

ラマの演出という芸術をテクニックツールに該当させようとしている。これは明らかに間違ったやり方であって、さらに人々を誤った方向に導く恐れがある。厳密に言えば、いわゆる「梅・ス・ブ」の演劇システムは、あくまで一部の経験からまとめられたものであり、これらの経験には参考価値しかなくて、指導意義を有するものではない。上官雲珠①は元々床屋のアルバイトで、周潤発（チョウ・ユンファ）②、梁錦松と楊美琪などがいる。]]、シュワルツェネッガー……も専門的な演劇の訓練を受けたわけでもないし、「梅・ス・ブ」システムに対して深い研究を行ったわけでもないにも関わらず、立派な映画演出芸術家として大活躍を果たした。

　映画・ドラマは最も生活に近いシチュエーション再現の創作である。人々は生活に対する自分なりの経歴と体験を持っているので、表現するキャラクターの特徴は当然それぞれ異なる。シナリオの中での役がどうあるべきなのか、脚本家でさえはっきりとしたイメージがあるとは言えず、創作者自身の理解と解釈に頼るしかない。このようなシチュエーション再現の不精確性で、作品が更なる距離感と相違性が与えられ、人々が観賞する時の芸術的

① 　上官雲珠（1920-1968）：中国40～50年代で才能が豊かな俳優で、20世紀中国映画100大俳優の一人とされている。
② 　周潤発（1955- 　）：香港の有名な俳優、このほかに李小龍、ジャッキー・チェン、梁錦松と楊美琪などがいる。

感覚をもっと引き立てることになる。チャップリン、趙本山[①]の演出は最も不精確なシチュエーション再現の演出振りだと言えるが、観衆から絶大な人気を得ている。その理由は、チャップリンも趙本山も日常ツールを丁寧に運用して最大限の誇張を行っており、「梅・ス・ブ」理論に従ったり、日常ツールをテクニックツールに使用としたりしなかったからである。

　日常ツールを使ったとはいえ、決して容易なことでもない。作品が成功できるかどうかは、作者の才能・センス・勤勉さと大きくかかわっている。センスがよくて、その上絶えずチャレンジとまとめを繰り返す人なら、日常ツールを使っていくと益々テクニックが生まれるので、必ず創作上の大きな成果を得ることができる。一方、元々日常ツールであるはずの芸術創作をわざと奥深そうに粉飾し、日常ツールをテクニックツールに変えようとするために、日常ツールを使って創作したい人を排除しようとする行為は、愚かで可笑しいと言えるし、その企みは絶対にうまく行かないと思われる。

①　趙本山（1957-　）：中国の有名な喜劇芸術家、中国テレビ芸術芸術委員会主任である。

3.2　テクニックツールの創作特徴

　　音楽の創作における作曲と楽器の演奏は、典型的なテクニックツールによる創作である。創作者は創作の「敷居」を跨ぐには、長時間のツール使用に関するトレーニングを受けなければならない。すると創作者と一般人の間でツールの障壁ができ、益々神秘になっていく。一般人にとって、テクニックツールで芸術創作に参加するのは非常に難しいことであり、このような芸術の前で、一般人はただの消費者或いは感性的な鑑賞者にすぎない。バレエ芸術と一部の美術は、いずれもテクニックツールを利用して創作された芸術に該当する。これらの芸術の前で、一般人は素晴らしいかどうか、面白いかどうかという判断しかできない。もっと奥深いものについては、自分の受け止め方以外、口出しすることができないのであろう。

　　パソコンの普及に伴い、元々テクニックツールによる創作は日常ツールによる創作に転じる可能性がある。なぜかと言うと、パソコンは重複で機械的なテクニックツールの操作を簡単化、日常化にしてくれるからである。例えば、一般人がパソコンを使って作曲したり、演奏のプログラミングをしたりすることができるし、さらに、DVやパソコン、もっと言えばスマホを使って、優秀な動画作品をつくることさえ可能になった。もちろん、これらの

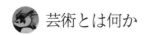

ツールを使って創作した作品の元素品質にはまだまだ差があるの
だが、技術の進歩とともに、このような問題も少しずつ解決され
ていくと思われる。そのため、芸術創作の一般化と一般人生活の
芸術化はいずれも可能になるに違いない。

芸術作品の主な特性

　一つの作品が広く認められる芸術品になれたのは、その基本
的な特性が必要である。。簡単に言えば、自然物・文章・物語り
・音楽・図など……本当の優秀な芸術品になるには、芸術品なら
ではの表象特徴がなければならない。

4.1　錯覚性、誇張性と欺瞞性

　優れた芸術品には錯覚性が付き物である。人々がしとやかな
少女のような山を見ると、思わず芸術的感覚が湧き上がり、この
山に神女峰という名前を付ける。その本質はただの山であるが、

少女のような感覚は完全に「錯覚」によるものである。

　例えば、文学作品には「小鳥が葉っぱのように落ちる」や「葉っぱが小鳥のように落ちる」などの記述とは、いずれも人々の芸術的感覚を増すことができる。もし、「小鳥が小鳥のように落ちる」、「葉っぱが葉っぱのように落ちる」、若しくは直接「小鳥が落ちる」、「葉っぱが落ちる」と描写すると、芸術的感覚が大きく弱くなる。人々は撮影が果たして芸術なのかをめぐって争論が止まなかった。その一番重要なポイントは、撮影の精確性が高くて、錯覚性が弱いことである。しかし、人々は写真の画面と実際の景色に大きな差がある作品を高く評価する傾向がある。これも芸術の錯覚性という特徴が必要であるから。実は、映画の中のシーンは、ほとんど生活の中ではありえない存在である。恋愛のシーンも戦争のシーンも、錯覚を起こすように錯覚処理が施されており、観衆が真実と同じだと思い込んでいるだけである。第二次世界大戦に惨烈な場面が少なからずあったのだが、映画「プライベート・ライアン」のようなシーンは絶対になかった。もし当時の戦争シーンを完全で真実に還元したとしたら、恐らく見たいと思う人が誰一人もいない。人々が芸術を鑑賞することはいつも矛盾に満ちている。錯覚的、誇張的、むしろ偽りで高い欺瞞性のある作品が好きのだが、感情的にそれを真実だと思い込んで共鳴したり感動したりしている。それは人々の精神追求の重要な法則である。つまり刺激──連想──現実復帰──再刺

激——再連想という完璧なサイクルである。現実世界でのモナ・リザは極めて平凡な女性だったかもしれないが、レオナルド・ダ・ヴィンチが描いたモナ・リザは本物に似ていると似ていないの間という曖昧な感覚を持ち、錯覚性と誇張性に満ちており、その欺瞞性が明らかなものである。すると、油絵の「モナ・リザ」は世界中の人々を魅了させている。この法則さえ押さえれば、芸術創作は正しい道を踏み外すことはない。リアリズムの作品はリアルとイコールにしてはいけない一方、抽象主義の作品には必ず具象的なマッピングが必要、さもなければ、これらの芸術品は生命力を失ってしまう。

　　実は、「芸術は生活から生まれ、生活を超えるものである」という説は十分精確だとはいえない。「一部の芸術が生活から生まれたのだが、ずば抜けた芸術はいつも生活と巧妙に違いながら気づかせない」というべきではないかと思う。こうしないと、人々が芸術品を鑑賞するときの感情的方向性と一致することができないためである。生活はを超えているかどうか、また超える必要があるかどうかについては、芸術の範疇以外の問題である。

　　従って、芸術品、若しくは人々に芸術的感覚を齎す物事には、必ず錯覚性、誇張性と欺瞞性がなければならない。

4.2　意図的な不精確性と曖昧性

　芸術創作の最高レベルは、意図的な不精確性と曖昧性（似ているようで似ていないという間の状態）である。もし芸術家が創作する際に、「似ている」という基本を把握することができれば、「似ていない」というのはのテクニック、インスピレーションと智恵の光ように見える。「似ている」という基本を把握できなければ、「似ていない」ことは単に芸術レベルが劣っている現れになる。。

　芸術家が「似ている」ことを完全にこなせれば、彼の創造した「似ていない」ものは、相違性と距離感を最大限に求めた出来物である。この意図的な不精確性は作品にもっと高い芸術価値を与える。ヴァンゴッホのひまわりはその代表的な例である。ヴァンゴッホのこの作品を鑑賞すると、まず誰でもひまわりであることが分かる。もしこれがトウモロコシのパンケーキだという結論が得られたら、最悪であろう。それから、人々は日常生活ではこんなひまわりを見たことがないことに気づき、しかも本物のひまわりよりも美しさと迫力を感じる。このような意図的な不精確性は、作品により大きな芸術生命力をもたらした。もちろん、このような不精確性は必ずコントロールできるものであり、芸術家が余裕で扱えるものでなければならない。

芸術とは何か

　普通の例をもう一つ挙げてみよう。画家が絵を描く時に、パース効果を非常に重視している。もし画家がカメラのような光学的なパースペクティブ（即ち物理的なパースペクティブ）に基づいて精確な創作をすれば、その絵が堅苦しく見えてしまう恐れが出てくる。こう言った場合、芸術のテクニックを上手くこなせる画家なら、物理的なパースペクティブから感情的なパースペクティブへと切り替えていく。物理的なパースペクティブの面から考量すると、感情的なパースペクティブは不精確で、むしろでたらめなものである。しかし、画家は感情的なパースペクティブを巧妙に使ったからこそ、作品のテーマが強く主張され、芸術感を大きく強化された。これは芸術創作における意図的な不精確性の活用である。

　声楽専門化によると、オーケストラの演奏の美しさと迫力こそ、個々の楽器の支配可能な不精確性によるものである。全ての楽器のピッチが完全に一致するとしたら、演奏時に強烈な音波の共鳴を形成するので、音が鋭くて耳障りになり、最悪な効果になってしまう恐れがある。

　以上はいずれも成功した芸術作品が備わる本質的な特徴である。これらの特徴をまとめてみると、錯覚性、誇張性と欺瞞性、それから意図的な不精確性と曖昧性（似ているようで似ていないという間の状態）である。

終わりに

インターネットの普及に伴い、多くの芸術に入門するハードルがかなり低くなっている。文学、絵画、音楽、動画などの作品はいずれもインターネット経由で投稿され、世界中の人たちのレビューを受けることができる。また、人々はインターネットによってノウハウやテクニックを取得することもでき、芸術観と創作観の交流もインターネットの活用で簡単になった。科学の進歩に伴い、益々多くのテクニックツールが日常ツールに変わり、情報コミュニケーションの便利化で、芸術の文化後処理が空前に活躍するようになった。ここ数年間の絵画作品価格の騰落もある意味でこの問題を反映している。

インターネットが普及している時代において、人々がコミュニケーションをする方法の変化によって、問題を認識したり解決したりする方法も変わり、生活・感情・価値観の変化を引き起こし、人が芸術に対する認識方法、創作手段、展示方法と評価シス

芸術とは何か

テムは、今までにない変化を起こすはずである。

　そのため、インターネット時代を新芸術時代と呼んでも過言ではない。

　将来の世界で、芸術とは何かという問題は、人々の日常生活におけるコミュニケーションの話題になるはずと考えられる。

喜多川歌麿「寛政三美人」

4

德文版

Was ist Kunst

曾天波 译

Ausgehend von den wesentlichen Merkmalen der Kunst, bietet dieses Werk auf philosophischer Ebene eine tiefgehende Analyse des künstlerischen Gefühls, der Gesetze des künstlerischen Schaffens und der Neigung der Menschen zur Wertschätzung von Kunst. Zugleich bietet dieses Werk eine Analyse der Voraussetzungen für die Entstehung künstlerischen Empfindens, eine Klassifizierung der Abläufe und Werkzeuge künstlerischen Schaffens, sowie eine einzigartige Perspektive auf die Wesenszüge künstlerischen Arbeitens.

Dieses Werk unternimmt auf philosophischer Ebene eine Antwort auf die Frage: was ist Kunst? Hierfür stellt dieses Werk auch eine Reihe neuer Konzepte und Methoden der Kunstforschung auf, die einen Sprung in das Verständnis von Kunst und künstlerischem Schaffen ermöglichen.

Viele der Sichtweisen in diesem Buch entstammen dem Original des Autors. Zahlreiche dieser Inhalte hat der Autor bereits auf der ganzen Welt in lebhaften Diskussionen im Rahmen von Vorlesungen an Universitäten oder Ausstellungen in Salons vorgestellt. Die neuartigen und einzigartigen Sichtweisen erhielten dabei viel Aufmerksamkeit aus den Kreisen der

Fachliteratur.

Im Grundsatz löst dieses Werk auch eine langjährige Problematik der Literatur- und Kunstwissenschaften: die fehlende Einheitlichkeit der Bezugsrahmen und Methoden in den Literatur- und Kunstwissenschaften. Auf dieser Ebene besitzt dieses Werk daher zweifelsfrei einen hohen akademischen Wert.

Diese Sichtweisen werden nun, übersetzt in acht Sprachen und publiziert in Form von Monographien, einer Vielzahl von Wissenschaftlern und Enthusiasten der Kunst und Literatur in aller Welt zugänglich gemacht. Dabei bieten die Inhalte dieses Werkes auch für Kunstschaffende oder Praktiker der Kulturindustrie einen wichtigen Bezugswert.

Dieses Werk erscheint als Monographie. Es kommt mit wenigen Worten aus. Es ist kurz und prägnant. Aber obwohl die Anzahl der Wörter in diesem Werk gering ist, werden die Sichtweisen klar vermittelt und viele strittige Probleme gelöst. Es bedurfte daher kaum mehr Druckerschwärze.

Nie Shengzhe

Oktober 2020

in der Gai Hua Tang außerhalb der Stadt Suzhou

KATALOG

Was ist Kunst und Kunst ist was? Dies sind zwei Ausdrucksformen eines Problems, das im Kern darin besteht, zu versuchen, den Unterschiede zwischen Kunst und Nichtkunst zu definieren. Seit vielen Jahren versuchen Menschen, den Umfang und die Grenzen von Kunst klar zu definieren. Dabei zeigen sie ein sehr intuitives Urteil, das Kunst und Nichtkunst völlig unterschiedlich erscheinen lässt, wie Wasser und Feuer, oder Schwarz und Weiß. Bedauerlicherweise haben jedoch die dynamischen Veränderungen der künstlerischen Ausdrucksformen und die verschiedenen Definitionen von Kunst oftmals zum Resultat, dass die Menschen den künstlerischen Charakter von Dingen oft nur nach ihrer Wahrnehmung beurteilen. In vielen Fällen bleibt die Definition von Kunst daher nur eine Wiederholung von dem, was andere bereits gesagt haben.

Das Fehlen einer genauen und allgemein akzeptierten Definition von Kunst hat erheblichen Einfluss auf unser künstlerisches Schaffen, unsere akademische Forschung, unsere Denkweisen, unsere Darstellung von Kultur, unseren Kultivierungsgrad und sogar unsere moralische Integrität. Die Erfahrung der Geschichte zeigt, dass diese Auswirkungen enorm sind und der Fortschritt der menschlichen Gesellschaft und Zivilisation dadurch sehr wahrscheinlich einen Rückschlag erleidet oder jedenfalls stagniert.

Im Grunde genommen ist die Definition von Kunst zunächst stets die Definition des künstlerischen Gefühls. Ein Problem, das sich von der physiologischen Ebene zur philosophischen Ebene weiterbewegt.

Das Kunstgefühl entsteht dabei meist aus dem sich fortlaufend weiterentwickelnden Weltverständnis der Menschen. Dieser dynamische Prozess führt häufig zu einer allmählichen Veränderung der Wahrnehmung von Kunst durch die Menschen. Durch diese allmähliche Veränderung der Wahrnehmung wird die Definition von Kunst zunehmend weltlicher und verliert ihre philosophische Essenz und mit ihr auch die Bedeutung der philosophischen Definition von Kunst. Daher fehlt es an einem anerkannten Standard oder Referenzrahmen für die Definition von Kunst. Im Allgemeinen findet das künstlerische Gefühl oft seinen Ursprung in dem plötzlichen Auftauchen neuer Elemente in verschiedenen nicht lebenden Zuständen und ungewöhnlichen Lebensformen. Die Sinne der Menschen werden dadurch stimuliert, und diese Stimulation beginnt oft unerwartet. Jeder Reiz, der nach einer bestimmten Zeit Taubheitsgefühl verursacht, ist jedoch ein allgemeines objektives Gesetz. Wenn jedoch immer mehr Menschen ihre Gefühle ausdrücken, nachdem sie durch dasselbe Element stimuliert wurden, wacht die taub gewordene Menge allmählich auf, fühlt sich wieder aktiviert und wird nach der Aktivierung allmählich wieder taub... Verallgemeinernd lässt sich dieser iterative Prozess wie folgt zusammenfassen - diese Zusammenfassung stammt zunächst aus Gefühlen, sodann aus emotionaler Induktion und letztlich aus Sprachwerkzeugen, um abstrakte, verallgemeinernde Definitionen zu erstellen. Viele Definitionen haben sich allmählich verbreitet. Wenn man studiert, was Kunst ist, müssen zuerst vier Fragen geklärt werden: erstens das künstlerische Gefühl, zweitens der Prozess des künstlerischen Schaffens, drittens die Werkzeuge des künstlerischen Schaffens und viertens die besonderen Eigenschaften künstlerischer Werke.

1

Die zwei äußeren Voraussetzungen der Entstehung des künstlerischen Gefühls

1.1 Das Kunstgefühl entsteht ursprünglich aus der Unterschiedlichkeit – Das Gefühl von Neuartigkeit ist der Primärzustand des Kunstgefühls

Wir können uns vorstellen, dass die ersten Gefühle für Kunst bei den Urmenschen durch ein Blatt hervorgerufen wurden, mit dem die Scham verdeckt wurde, oder in der Antike von einem Mann mit einem angenehmen, rhythmischen Heulen. Denn unter primitiven Menschen, die an Nacktheit und Unordnung gewöhnt waren, hatte das plötzliche Erscheinen dieses ersten Blattes eine offenkundige Wirkung. Und obwohl das erste rhythmische Jaulen angenehm war, hinterließ es beim Hörer vielmehr ein Gefühl von Neuartigkeit und Überraschung. Wenn nur wenige Menschen zum Verdecken ihrer Scham ein Blatt benutzen, dann

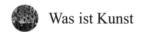

schafft dies eine Unterschiedlichkeit. Diese Unterschiedlichkeit ist ein neuer Zustand, ein Zustand der eine potentielle Energie hat. Und um diese potentielle Energie aufzuheben, muss der Übergang der Energie abgeschlossen werden. Dieser Übergang erfordert Zeit, Weisheit, Courage und sogar Geschicklichkeit.

Daher lässt sich sagen, dass das Gefühl für Kunst ursprünglich aus der Unterschiedlichkeit entsteht. Wenn beispielsweise Bilder regelmäßig in Farbe dargestellt werden, erscheint Schwarzweiß wie Kunst. Umgekehrt erscheint Farbe, die plötzlich in der Welt des Schwarzweißen auftritt, ebenfalls als Kunst. Auch die Darstellung eines weißen Segelboots auf dem blauen Meer erweckt in den Menschen ein Gefühl von Kunst. Eine blaue Figur auf einem scheinbar grenzenlosen weißen Schneefeld erscheint den Menschen ebenfalls im Wesentlichen auf künstlerischer Ebene. Ein weiteres Beispiel ist eine Person, die lange Zeit in einer Stadt gelebt hat, in dem Augenblick, da diese Person die malerische Szenerie eines berühmten Berges betritt, erweckt dies in ihr ein Gefühl von Kunst. Umgekehrt, erweckt der erstmalige Besuch einer Stadt bei einem Bergbewohner, der lange Zeit auf dem Gipfel des Berges gelebt hat und den Berg nie verlassen hat, ein Gefühl von Aufregung und mit diesem auch ein sehr verschwommenes künstlerisches Gefühl. Die obigen Beispiele zeigen allesamt, dass, obwohl die Subjekte, von denen diese Eindrücke hervorgerufen werden, nicht unbedingt künstlerischer Natur sind oder gar die Intention künstlerischen Schaffens in sich tragen, sind

die von diesen hervorgerufenen Effekte dennoch vollständig künstlerisch. Dieses Gesetz lässt sich auch beim Singen eines Lerchenvogels und beim Pfau der sein Rad aufstellt erkennen. Der Pfau stellt sein Rad in erster Linie zum Balzen auf. Der Lerchenvogel wiederum singt vielleicht aus Langeweile, oder ebenfalls zum Balzen. In keinem der Fälle liegt die Intention künstlerischen Schaffens. Aber in den Herzen sentimentaler Menschen rufen auch diese Erscheinungen auf künstlerischer Ebene Gefühle hervor.

Das Gefühl für Kunst hat seinen Ursprung in der Unterschiedlichkeit, weil die Unterschiedlichkeit ein Gefühl der Neuartigkeit erzeugt. Dieses Neue ist der Ursprungszustand des Kunstgefühls, und damit eine unverzichtbare und unüberwindliche Etappe. Das Gefühl für Kunst ist nicht statisch. Einige auf Illusionen beruhende Kunstgefühle verschwinden mit der Zeit wieder. Andere Gefühle werden zunehmend gewöhnlicher und verschwinden daher allmählich aus dem Fokus der Aufmerksamkeit. Und nur diejenigen Gefühle, die die Kraft der Ewigkeit besitzen, bleiben für lange Zeit in den Erinnerungen der Menschen. Diese Art von Erinnerungen wird vielfach wiederholt und weitergegeben, durch das Werkzeug der Sprache beschrieben und präzisiert und schließlich als eine Gattung des Kunstgefühls durch mehr und mehr Menschen anerkannt. So wurden die Werke des ersten Menschen, der malte; des ersten Menschen, der sang; und des ersten Menschen, der Skulpturen kreierte, zu ihrer Zeit nicht als Kunst begriffen. Der Grund, warum sie später als Maler, Sänger

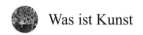

und Bildhauer eingestuft wurden, war, dass ihre Unterschiedlichkeit gegenüber dem täglichen Leben Aufregung verursachte und einen Prozess des Verstehens, Zusammenfassens, Zweifelns und Erkennens initiierte, an deren Ende allgemeine Anerkennung stand.

1.2 Das Kunstgefühl entsteht in zweiter Linie aus dem Gefühl von Distanz – Das Gefühl vom Mystischen ist eine wichtige Quelle des Kunstgefühls

Die Distanz, gleich ob räumliche oder zeitliche Distanz, ist ein Konzept der Physik. Aus philosophischer Sicht betrachtet ist Distanz manchmal eine Voraussetzung für die Entstehung von Unterschiedlichkeit, obgleich die Unterschiedlichkeit oft durch Illusionen hervorgerufen wird. Aufgrund dieser besonderen Eigenschaft der Distanz, nimmt sie eine bedeutende Rolle im Prozess des Entstehens vom Kunstgefühl ein.

Nehmen wir zunächst als Beispiel das künstlerische Gefühl von Himmelskörpern, um diese bedeutende Rolle zu veranschaulichen.

An einem herbstlichen Abend mit sanftem Wind, lässt sich manchmal der breit leuchtende Mond am Himmel erkennen, manchmal die zahlreichen Sterne. Die auf der Erde lebenden Menschen werden vom ersten Mal an, an dem sie den Mond oder den Sternenhimmel sehen, von selbst ein Gefühl von Freude empfinden. Diese wunderschöne Szenerie am weit

entfernten Firmament hinterlässt bei den Menschen ein Gefühl, das in seiner Essenz künstlerischer Natur ist, obgleich dieses schöne Leuchten und die psychedelischen Sterne in den Augen von Astronomen und Astrophysikern im Wesentlichen nur eisige oder feurige Kugeln sind, die in der Tat von Schmutz, Steinen oder Luftmassen geformt werden, die selbst Licht emittieren oder Licht reflektieren, und auf diese Weise für die Augen der Menschen über weite Entfernungen erkennbar werden. Aber das Gefühl, das sie bei den Menschen hinterlassen, ist absolut künstlerisch. Und auch der Eindruck, den sie hinterlassen, ist ein absolut künstlerischer Eindruck. Zweifelsohne haben die Subjekte, die diese Szenerie hervorrufen keine künstlerischen Eigenschaften in sich oder gar die Intention künstlerischen Schaffens. Die erzeugten Effekte hingegen können nichtsdestotrotz als vollständig künstlerisch bezeichnet werden.

Das liegt daran, dass das Gefühl von Distanz zu einem Gefühl von etwas Mystischem führen kann (ein Gefühl der Unfähigkeit, etwas vollständig fassen zu können). Dieses Gefühl von etwas Mystischem ist zunächst oft ein nebulöses Gefühl, ein schöner Eindruck, oft begleitet von Illusionen, der Menschen etwas sehen lässt, was sie für gewöhnlich und in ihrer Nähe nicht sehen können. Aufbauend auf diesem Gefühl entsteht die Unterschiedlichkeit, von der aus Freude erzeugt wird, und aus der schließlich das Kunstgefühl hervorgebracht wird.

Es gibt unzählige Beispiele dafür, wie Distanz künstlerische Gefühle erzeugt. Zum Beispiel eine Gruppe afrikanischer Frauen, die in der

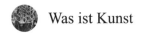

untergehenden Abendsonne ein Feld kultivieren. Ihr aufrechtes Stehen, ihr Runterbeugen, ihre Hüften, ihre Brüste... in den Augen eines Menschen aus dem weit entfernten fernen Osten erweckt jede ihrer einzelnen Bewegungen zu einem großen Teil künstlerische Gefühle. Im Gegensatz dazu sind diese Frauen in den Augen ihrer Ehemänner die eigene Ehefrau, die auf dem Feld arbeitet. Ein anderes Beispiel sind die Stars, die mit ihrem Glanz und ihrem Strahlen in der Öffentlichkeit stehen. Das Gefühl von Kunst ist hier unbestreitbar. Aber auch sie sind für ihre Ehepartner die eigene Ehefrau oder der eigene Ehemann, was zu einer starken Einschränkung des künstlerischen Gefühls führt.

Ob eine außereheliche Affäre rational ist, oder ob es erforderlich ist, Fremdgehen moralisch zu beurteilen, das sind Fragen, die von Soziologen, Ethikern und Juristen diskutiert werden. Von der Essenz einer außerehelichen Affäre her betrachtet, ist die inhärente Distanz jedoch ein gelebtes Beispiel dafür, wie Distanz ein Gefühl von Kunst hervorruft. In der Realität lässt sich betrachten, dass auch Ehepartner untreu sein können, deren Partner attraktiv und begehrenswert sind. Diese Art von künstlerischem Gefühl, das durch Distanz vom normalen Leben verursacht wird, ist nichts anderes als ein Gefühl von etwas Mystischem, ein Gefühl des Staunens oder gar einer Illusion oder einer mit Zielen verbundenen Fantasie, ein Gefühl das schließlich zu einem künstlerischen Gefühl erwächst. Diese Art des Betrugs ist im Wesentlichen auch ein Streben nach Befriedigung des künstlerischen Gefühls, obwohl dieses

Streben manchmal unmoralisch ist. Manch einer sagt, dass Distanz Schönheit erzeugt. Diese Aussage ist nicht sehr genau. Genau genommen erzeugt die Distanz ein künstlerisches Gefühl.

Kulturelle Relikte hinterlassen das Gefühl, dass Subjektivität in der Kunst einen großen Teil ausmacht. Ein in vergangenen Zeiten sehr gewöhnliches Utensil oder Werkzeug, kann nach hunderten von Jahren oder sogar tausenden von Jahren ganz natürlich ein künstlerisches Gefühl hervorrufen. Dies ist selbstverständlich ein künstlerisches Gefühl, das durch die Distanz der Zeit erzeugt wird.

Es ließe sich nun diskutieren, ob das Gefühl der Menschen, wenn sie fotografische Werke betrachten, ein künstlerisches Gefühl ist.

Ob Fotografie Kunst ist oder nicht, war lange ein sehr umstrittenes Thema. Insbesondere gehört die Fotografie zusammen mit der Malerei zu den zweidimensionalen Werken, Bildern (visuelle Ebene). Menschen verwenden oft einfache Emotionen, um die folgenden Urteile zu fällen: mit nur einem Klick auf den Auslöser wird ein Foto geschossen, was soll das für eine Kunst sein?! Malen hingegen ist eine feine Arbeit, durch die ein Maler mit einem Pinsel oder einem Tranchiermesser Strich um Strich ein Werk erschafft. Nur ein solches Gemälde (visuelle Ebene) kann man Kunst nennen.

Lassen Sie uns nun die Werkzeuge und Prozesse der Fotografie analysieren.

Bei der Fotografie lässt sich mit komplizierten Werkzeugen in Windeseile

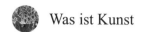

ein Foto schießen. Beim Malen hingegen werden einfache Werkzeuge verwendet, aber es erfordert komplexe Kreationen. Man braucht nur den Auslöser drücken, um fotografieren zu können. Es ist keine Technik erforderlich. Das Malen hingegen erfordert besondere Technik... Aber eigentlich sind solche Urteile zu alltäglich, oder sogar zu emotional. Lassen Sie uns daher zunächst ausgehend von den Unterschieden urteilen. Zunächst ist ein Foto nicht der reale Gegenstand selbst, der auf dem Foto zu sehen ist. Es ist vielmehr ein Grafikwerk des Fotografs, das durch eine Aufnahme auf der Grundlage einer Gefühlsbeurteilung in einem Geistesblitz entstanden ist. Erfahrene Fotografen verwenden zudem Techniken und nutzen dabei Blende, Verschluss, Lichtmodellierung und andere Mittel. Die dadurch entstandenen Fotos unterscheiden sich so noch mehr von den Gegenständen, die wir mit den Augen sehen; die Unterschiede werden dadurch größer. Ein Wort aus der Umgangssprache verdeutlicht diese Unterschiede sehr gut. Dieses Wort gibt an, ob eine Person beim Fotografieren „fotogen" ist. Die damit verbundene Aussage spiegelt im Wesentlichen die Art des Unterschieds zwischen der fotografischen Arbeit und dem realen Gegenstand wider. Eine Person ist entweder fotogen oder nicht, wobei es dabei nicht um die Person in der Realität geht. Die von der Linse aufgenommene Welt unterscheidet sich von der von den Augen gesehenen Szene, und die Unterschiede darin führen zu der Möglichkeit eines künstlerischen Gefühls.

Lassen Sie uns zweitens ausgehend von dem Aspekt der Distanz urteilen.

Wenn uns beispielsweise ein Foto des Himalaya präsentiert wird, dann sehen wir ein Foto des Himalaya, der tatsächlich tausende von Meilen entfernt ist und dessen räumliche Entfernung zu uns groß ist. Da das Foto zudem eine Momentaufnahme darstellt, ist auch die zeitliche Entfernung offensichtlich. Wenn wir mit diesem Foto in den Himalaya gehen und das Gefühl auf dem Foto wiederfinden wollen, ist dies fast unmöglich. Es wird uns allenfalls gelingen, das Gefühl zu erlangen, dass „dieser Ort ein bisschen ähnlich ist".

Solange man also ausgehend von diesen beiden Merkmalen urteilt, den Unterschieden und der Distanz, durch welche das Kunstgefühl erzeugt wird, dann kann man feststellen, dass das Kunstgefühl fotografischer Werke offensichtlich existiert. Und auch bei anderen Werksformen der Kunst, wie Literatur, Malerei, Theater, Tanz, Film und Fernsehen, oder Architektur lässt sich bei den Gefühlen der Menschen beim Lesen, Anschauen und Hören anhand dieser beiden Merkmale beurteilt werden, ob diese künstlerische Merkmale aufweisen.

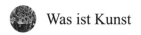

2

Die zwei Prozesse des künstlerischen Schaffens

Die Geburt einer künstlerischen Arbeit durchläuft normalerweise zwei Prozesse: die physische Verarbeitung und die kulturelle Verarbeitung.

2.1 Die physische Verarbeitung ist der erste Schritt in der Entstehung von Kunstwerken

Der Grund, warum ein Kunstwerk zum Kunstwerk wird, verbreitet sich ohne Ausnahme in physischer Form. Musik entsteht durch Schallwellen; visuelle Künste wie Malen, Fotografieren, Modellieren und Aufführen durch Lichtwellen (Literatur überträgt Wortkodexe auch durch Lichtwellen und wandelt sie dann in Inhalte um). Die Kochkunst wird durch den molekularen Kontakt des Geschmacks, den physikalischen Hauptprozess und den damit verbundenen chemischen Prozess verbreitet. Vor dem künstlerischen Schaffen kann die Skulptur ausschließlich ein

Stein oder ein Haufen Plastiklehm sein; Gemälde können Leinwände, Papier, Pinsel oder Tinten sein; Literatur kann Papier und Stifte sein (heutzutage Computer); Musik sind Noten und Musikinstrumente; Fotografie sind Kameras, Objekte und Licht; Architektur sind Bauarbeiter, Baumaschinen und Baumaterialien...

Der Prozess der physischen Verarbeitung ist letztlich der Prozess der Verarbeitung und Herstellung. Bildhauer arbeiten mit Messer, Hammer und Meißel; Maler verwenden Ölfarben und Pinsel, Darsteller verwenden verschiedene Instrumente; Schriftsteller und Dichter verwenden Papier und Stifte (heutzutage Mobiltelefone oder Computer); Fotografen verwenden Kameras, Architekten dirigieren die Bauarbeiter mit Zeichnungen... Auf diesem Wege werden Skulpturen und Gemälde geschaffen, Romane und Gedichte geschrieben, Musik gespielt, Fotos gemacht und Gebäude gebaut. Der physische Prozess des künstlerischen Schaffens ist damit erfüllt.

2.2 Die eigene kulturelle Verarbeitung des Schöpfers wird von einer physischen Verarbeitung begleitet

Die kulturelle Verarbeitung ist in zwei Prozesse unterteilt: kulturelle „Vorverarbeitung" und kulturelle „Nachverarbeitung".

Die kulturelle Vorverarbeitung (auch als emotionale Verarbeitung bezeichnet) existiert immer zugleich mit der physischen Verarbeitung

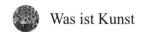

und ist ein Prozess, der vom Schöpfer abgeschlossen wird. Wenn ein Künstler etwas kreiert, hat er oft eine klare künstlerische Motivation. Diese Motivation wird den gesamten Schöpfungsprozess begleiten. Daher ist dies ein Prozess der kulturellen Vorverarbeitung. Dieser Prozess der kulturellen Vorverarbeitung ermöglicht es den Künstlern, ihre Kreationen im Prozess der physischen Verarbeitung kontinuierlich zu überarbeiten oder zu verbessern und die Arbeit schließlich lebendig, voller Fantasie oder Groteske zu gestalten, wodurch die Arbeit künstlerischer wird. Diese Art der kulturellen Vorverarbeitung, die von den Schöpfern stammt, weist jedoch häufig große Beschränkungen auf. Dieser Prozess endet mit dem Ende des physischen Verarbeitungsprozesses und seine Auswirkungen sind sehr begrenzt.

Mit Blick auf einen Gegenstand der Kunst verkörpert, umfasst der kulturelle Nachverarbeitungsprozess die von Menschen mitgebrachten Absichten und Emotionen, einschließlich der unendlichen Fantasie. Diese Vorstellungskraft wird durch Sprachwerkzeuge auf zyklische Weise übertragen. Dieser Prozess verleiht Werken und Gegenständen ein Mehr an künstlerischem Leben und künstlerischem Wert. Dabei ist diese Art der Ergänzung oft schwer vorherzusagen und vermag schließlich sogar ein unendliches Ausmaß zu erreichen.

2.3 Die kulturelle Nachverarbeitung ist von der Arbeit und dem Schöpfer getrennt

Obwohl der kulturelle Nachverarbeitungsprozess auf dem Charakter eines Werkes basiert, auf dessen Qualität und Seele, beginnt der Prozess häufig eher nach der Entstehung des Werkes. Die kulturelle Nachverarbeitung ist eine echte kulturelle Verarbeitung und damit ein sehr komplexer und unaufhörlicher Prozess. Das Ergebnis entfernt sich oft weit von der ursprünglichen Absicht des Schöpfers. Diese kulturelle Nachverarbeitung eines Werkes oder eines Objekts ist ein Prozess der unendlichen Fantasie, ein Prozess verbunden mit Vorstellungskraft, persönlicher Erfahrung, verschiedenen Absichten, religiösen Überzeugungen, Nationalstolz, Ausdruck von Habitus, wirtschaftlichen Interessen, Kriegsplünderung und vielem mehr. Es kann auch ein Prozess der kontinuierlichen Erweiterung des menschlichen Handelns und der künstlerischer Emotionen sein. Die Energie des nachkulturellen Prozesses ist enorm, und derart groß, dass es unvorstellbar ist. Die Auswirkungen der kulturellen Nachverarbeitung von Kunstwerken wie van Goghs *Sonnenblume* und Dalis *Rotem Lippensofa*, sind erstaunlich. die die ultimativen Produkte der kulturellen Nachverarbeitung sind, liegen auf der Hand. Die ultimativen Ausflüsse der kulturellen Nachverarbeitung sind offensichtlich. Und mit der Zeit kommen immer mehr wunderbare kulturelle Nachverarbeitungen dieser

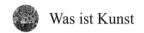

Werke zum Vorschein und lassen die Werke noch wertvoller werden. Dabei war zu jener Zeit die Anerkennung für die Werke durch van Gogh und Dalí gar nicht so hoch wie in der heutigen Gesellschaft. In den Augen der Schöpfer stellten diese Werke vermutlich nur gewöhnliche Werke dar. Und womöglich hatten sie sogar Befürchtungen, dass andere Witze über ihre Werke erzählen würden. Aber der historische Wandel, soziale Ereignisse, ständige Ausstellungen und absichtliche Mystifizierung, die kommerzielle Nutzung und die Aufmerksamkeit von Generationen zu Generationen ließen die kulturelle Nachverarbeitung dieser Werke ununterbrochen weiterlaufen, und dies mit zunehmendem Erfolg. Dieses Phänomen war von den Schöpfern dieser Werke gewiss nicht erwartet worden. Hätten sie dies erahnt, dann hätten sie vielleicht selbst darüber gelacht. Aus diesem Blickwinkel betrachtet wurden Werke wie *Sonnenblumen* und *Sofas mit roten Lippen* nicht nur von van Gogh und Dali, sondern auch von späteren Anhängern auf der ganzen Welt gemeinsam geschaffen, da dieser enorme kulturelle Nachverarbeitungsprozess ausschließlich von der Nachwelt durchgeführt wird.

Und nicht nur künstlich geschaffene Werke haben einen kulturellen Nachverarbeitungsprozess, auch einige natürliche oder leere Objekte können kulturell nachverarbeitet werden. Zum Beispiel können ein Felsen am Berg und eine alte Kiefer durch die kulturelle Nachverarbeitung von Generationen künstlerisches Leben und Wert erhalten.

So war etwa die Kiefer auf dem chinesischen Huang-Gebirge nur ein

natüricher Antikbaum, der eigentlich keinen Namen hatte. Dass diese Kiefer später als „Willkommenskiefer" benannt wurde, ist also eine kulturelle Nachverarbeitung. So kamen immer mehr Besucher zu dieser Kiefer, und jeder Tourist, Fotograf, oder Maler, der den Baum gesehen hat, beschreibt kontinuierlich die Eigenschaften der Kiefer anhand seiner eigenen Vorstellungskraft. Diese Beschreibungen sind oft emotional oder erfolgen aus einem bestimmten Zweck. Durch die Verbreitung von Sprachwerkzeugen wird dieser Baum immer spezieller. Dadurch erfuhr eine natürliche Kiefer, die eigentlich keinen Unterschied und keine Distanz zu anderen Bäumen aufwies, letztlich doch Unterscheidungskraft von anderen Kiefern. Damit erfüllt der nun als Willkommenskiefer bekannte Baum den Betrachter mit voller künstlerischer Erfahrung. In diesem Sinne betrachtet, enthalten etwa auch die Legenden von Schwester Liu, von Chang'e und vom Göttinnengipfel Beispiele für natürliche oder leere Objekte, die durch kulturelle Nachverarbeitung zu künstlerischen Objekten geworden sind.

Besonders hervorzuheben ist, dass bei Gemälden, Skulpturen, architektonischen Gebilden und anderen Werken, die nicht reproduzierbar sind, durch die kommerziellen Nutzung und die damit verbundene kontinuierliche Stärkung der kulturellen Nachverarbeitung, die Einzigartigkeit der Werke derart gesteigert werden könnte, dass schließlich sogar die kommerzielle Nutzung die kulturellen Nachverarbeitung dominiert. Umgekehrt bringt die kulturelle Nachverarbeitung die eine oder andere selbsterklärende Interpretation in der kommerziellen Nutzung

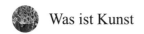

zum Vorschein. Dieses „Autokopplungs-Phänomen" der kulturellen Nachverarbeitung und der kommerziellen Nutzung wird dazu führen, dass die kulturelle Nachverarbeitung in dieser Erscheinung nie eingestellt wird, solange es einen Markt dafür gibt. Im Gegenteil haben Literatur, Musik (insbesondere Komposition) nicht so viel Glück, da Romane, Gedichte und Partituren jederzeit ohne die Einzigartigkeit der Probe kopiert werden können und somit den Wert der kommerzieller Nutzung verlieren.

Einige werden vielleicht fragen, sind die Manuskripte von literarischen Werken und Noten nicht auch wertvoll? Ja, aber der künstlerische Wert dieser Manuskripte ist genauso wie der Wert von Kalligraphie und Malereien. Sie sind relativ getrennt vom Wert der literarischen Werken und der Musik. An ihrer Benennung können wir erkennen, dass sie sich von der Arbeit selbst unterscheiden. Wie zum Beispiel das Manuskript von Flauberts „*Madame Bovary*", oder das Manuskript von Lu Xuns „*Im Falle unseres Vergessens*"... Dies sind nur die Werte des Manuskripts, die unabhängig vom Wert des Werks selbst sind, auch wenn es sich auf Literatur und Musik bezieht Werte sind verwandt, aber auch schwach verwandt.

Daher scheint die kulturelle Nachverarbeitung von Werken wie Literatur und Musik viel schwieriger zu sein, und die Möglichkeit der kommerziellen Nutzung ist noch schwächer und es wird noch unmöglicher, dass es eine „automatische Kopplung" von kultureller Nachverarbeitung und kommerziellen Nutzung gibt.

3

Die zwei Werkzeuge des künstlerischen Schaffens

Kunstschöpfung erfordert Werkzeuge. Neben Werkzeugen im physischen
Sinne gibt es auf philosophischer Ebene konzeptionelle Werkzeuge.
Derzeit unterteilen wir diese philosophischen Werkzeuge in „alltägliche
Werkzeuge" und „technische Werkzeuge". Alltägliche Werkzeuge sind
Werkzeuge, die Menschen ohne viel professionelles Training verwenden
können, wie die Verwendung von Text beim Schreiben, die Verwendung
von vollautomatischen Kameras beim Fotografierens, die Verwendung
der eigenen Körperteile bei Film- und Fernsehaufführungen usw.;
Werkzeuge, die nur mit strengen Training beherrscht werden können,
wie Aufführungen mit Instrumenten oder der Einsatz von Instrumenten
und Noten durch einen Komponisten, die Belcanto-Kontrolle von
Stimmbändern und Atem, koordinierte Körperbewegungen beim Ballett,
in der Akrobatik, oder beim rhythmischen Turnern und so weiter. Die
Merkmale von „technischen Werkzeugen" sind, dass sie eine lange Zeit
der Spezialausbildung erfordern und das Erlernen Lehrer oder Trainer

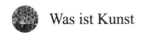

erfordert. Es ist grundsätzlich schwierig, sie von selbst zu erwerben. Einige Werkzeuge sind schwer als alltägliche oder technische Werkzeuge zu kategorisieren, wie etwa Fähigkeiten in der Kalligraphie, dem Gesang von Volksliedern und Pop-Musik, oder bestimmte Kunstmethoden... Dies liegt daran, dass Fähigkeiten in diesen Bereichen manchmal durch persönliches Verständnis oder langfristiges Denken erworben werden können. Gleichzeitig sind manchmal aber auch spezielle Schulungen und Anleitungen erforderlich, sodass es schwierig ist, sie als tägliches oder technisches Werkzeug zu kategorisieren. Daher sind beide künstlerische Kreationen, wobei jedoch die verwendeten Werkzeuge sich unterscheiden, und die Unterschiede teils grundlegend sind. Dies ist ein sehr bedeutendes Thema, das ernsthafte und gründliche Forschung verdient.

3.1 Die Eigenschaften des Schaffens der alltäglichen Werkzeuge

Wie etwa das Schreiben. Vor ein paar hundert Jahren konnten nur wenige Menschen lesen und schreiben, weshalb das Schreiben zu jener Zeit in die Kategorie der technischen Werkzeuge gefallen sein dürfte. Die heutigen Menschen sind jedoch grundsätzlich gebildet und das literarische Schaffen sollte mittlerweile in die Kategorie der alltäglichen Werkzeuge des Schaffens fallen. Daher ist die heutige Welt bereits eine

Ära des „Schreiben ist wie Sprechen, und die Menschen können es tun".
Solange Selbstvertrauen besteht, kann sich im Grunde genommen jeder
mit literarischem Schaffen beschäftigen. Die Fakten sagen uns, dass
die meisten Schriftsteller, ob sie heute professionell sind oder nicht, im
Grunde genommen von den Verhältnissen eines Amateurs ausgehen, da
sie alltägliche Werkzeuge verwenden, so dass die zu überschreitende
Schwelle nicht hoch ist und jeder frei auf beginnen kann. Nach dem ersten
Anfang und nach dem Aufkeimen von Inspiration und einem Zustand der
Fähigkeit zum kontinuierlichen Schaffen, wird es einen Punkt geben, an
dem einige Autoren gute Werke schaffen und sogar literarische Klassiker,
und einige Autoren mit ihren Werken im Mittelmaß verschwinden werden.
Durch die Entwicklung der Technologie ist es mittlerweile üblich
geworden, eine Digitalkamera zu kaufen, und zwischenzeitlich ist sie
sogar etwas altmodisch geworden. Viele Smartfone verfügen bereits über
hervorragende Fotofunktionen. Obwohl Fotografie eine Kunst ist, werden
daher alltägliche Werkzeuge verwendet. Die kontinuierliche Verbesserung
der Fotofunktionen für Mobiltelefone hat die Werkzeuge der Fotografie
noch alltäglicher werden lassen.
Film- und Fernsehaufführungen verkörpern umso mehr eine Kunst, die
mit alltäglichen Werkzeugen geschaffen wird. Obwohl es derzeit viele
Schauspiel- und Filmhochschulen gibt, die auf die eine oder andere
Weise auch viele theoretische Kurse anbieten, so wie etwa in Kursen die

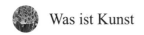

sogenannte Darstellungstherorie von Mei Lanfang[1], Stanislavski[2] und Brecht[3]auf die eine oder andere Weise erklärt und wiedergegeben wird. Dennoch ist es offensichtlich falsch, diese Standpunkte oder Lehren als Darstellungstheorie zu verwenden, um die Schüler zu sensibilisieren und zu versuchen, die darstellenden Künste von Film und Fernsehen in die Kategorie der technischen Werkzeuge einzubeziehen. Es ist sogar extrem irreführend. Denn streng genommen ist die sogenannte Darstellungstherorie von Mei Lanfang, Stanislavski und Brecht nur etwas, das die Erfahrungen zusammenfasst. Diese Erfahrungen dienen nur als Referenz und sind nicht lehrreich. So war Shangguan Yunzhu[4]einst eine Helferin in einem Friseurladen. Und Chow Yun-fat[5]und Schwarzenegger haben weder eine Schauspielausbildung erhalten noch Darstellungstheorie

---

[1] Mei Lanfang (1894-1961), Aufgrund seiner einzigartigen Interpretationen weiblicher Darstellerinnen ist er einer der bekanntesten Künstler in der Geschichte der Peking-Oper.

[2] Konstantin Stanislavski (1863-1938), russischer Theaterschauspieler, Regisseur und Pädagoge, Schöpfer des Stanislawski-Systemsund Mitbegründer des Moskauer Künstlertheaters.

[3] Bertolt Brecht (1898-1956), deutscher Dramatiker und Dichter, Gründer des epischen Theaters (dialektisches Theater).

[4] Shangguan Yunzhu (1920-1968), eine der begabtesten Schauspielerinnen in China in den 1940er und 50er Jahren. Sie gilt als eine der 100 besten Schauspielerinnen des chinesischen Films im 20. Jahrhundert.

[5] Chow Yun-fat (1955-), zusammen mit Bruce Lee, Jackie Chan, Tony Leung und Michelle Yeoh ist er einer der international bekanntesten Schauspieler aus Hong Kong.

studiert. Aber sie alle wurden herausragende Filmkünstler.

Film- und Fernsehaufführungen sind Kreationen, in denen Szenen des Alltags wiedergegeben werden. Jeder hat seine eigene Erfahrungen und Erlebnisse. Daher werden die Rollen, die in den Aufführungen gezeigt werden, nicht die gleichen sein. Wie die Rollen im Drehbuch sein sollen, dazu hat der Drehbuchautor möglicherweise kein klares Muster und mitunter kann dies nur von den Schauspielern selbst verstanden und interpretiert werden. Die auf diesem Wege entstehende ungenaue Szenenwiedergabe macht das Werk oft distanzierter und differenzierter und erhöht dadurch das künstlerische Gefühl der Zuschauer. Die Film- und Fernsehauftritte von Charlie Chaplins und Zhao Benshan[1] enthielten Szenen, die durch besondere Ungenauigkeit hervorstachen, aber das Publikum mochte sie sehr, da in den Darstellungen von Chaplin und Zhao die alltäglichen Werkzeuge in ernsthafter Weise für extreme Übertreibungen verwendet wurden. Sie folgten keiner Theorie und versuchten, alltägliche Werkzeuge in technische Werkzeuge umzuwandeln.

Es ist nicht einfach, auch mit alltäglichen Werkzeugen Kunst zu schaffen. Der Erfolg einer Arbeit hat viel zu tun mit dem Talent, dem Verständnis

---

[1] Zhao Benshan (1957-) ist ein Komiker, Schauspieler, Produzent, Regisseur und Drehbuchautor.

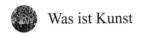

und der harten Arbeit des Schöpfers. Eine sehr talentierte Person, die es gut versteht, regelmäßige Versuche und Zusammenfassungen zu unternehmen, wird im Umgang mit den alltäglichen Werkzeugen stets voller Fähigkeiten sein. Sie kann große Erfolge in der Schöpfung erzielen. Diejenigen hingegen, die versuchen, künstlerische Schöpfungen, die zu alltäglichen Werkzeugen gehören sollten, absichtlich zu mystifizieren, und alltägliche Werkzeuge in technische Werkzeuge umzuwandeln und dabei Menschen zu beschränken, die alltägliche Werkzeuge zur Schaffung von Neuem verwenden möchten, sind dumm, sogar lächerlich. Es ist für sie auch schwierig, Erfolg zu haben.

3.2 Die Eigenschaften des Schaffens der technischen Werkzeuge

Kompositionen in der Musik und Instrumentalperformances sind typische Schöpfungen mit technischen Werkzeugen. Die Schöpfenden müssen eine lange Zeit der Schulung im Umgang mit den Werkzeugen durchlaufen bevor sie die Schwelle der Schöpfung überschreiten können. Dies erzeugt gewissermaßen eine Werkzeugbarriere zwischen den Schöpfern und den normalen Menschen und damit etwas Mysteriöses. Für normale Menschen ist es sehr schwierig, sich an der künstlerischen Schaffung durch technische Werkzeuge zu beteiligen, und so können normale Menschen von dieser Art von Kunst nur ein reiner Konsument oder ein emotionaler

Zuhörer oder Zuschauer sein. Ballett und bestimmte Arten der bildenden Kunst sind z.b. alles Kunstarten, die mit technischen Werkzeugen geschaffen werden. Mit Blick auf diese Kunstarten kann die breite Öffentlichkeit nur beurteilen, ob es gut klingt oder nicht, wohingegen die weiteren Kriterien bereits zur Geschmacksache gehören, oder nur schwer zu beurteilen sind.

Mit der Verbreitung von Computern können einige der Kreationen, die ursprünglich zu technischen Werkzeugen gehörten, in alltägliche Werkzeuge umgewandelt werden. Da Computer die sich wiederholenden, mechanischen und technischen Werkzeuge einfach und routinemäßig werden lassen. So können beispielsweise normale Menschen einen Computer zum Komponieren verwenden, oder auch zum Programmieren und Aufführen. Sie können sogar einen DV, einen Computer oder sogar ein Mobiltelefon verwenden, um hervorragende Film- und Fernsehwerke zu kreieren. Natürlich wird es immer noch eine gewisse Lücke in der Qualität der mit diesen Werkzeugen erstellten Werke, aber mit der Entwicklung der Technologie wird diese Lücke schrittweise geschlossen. Daher werden die Massenhaftigkeit des künstlerischen Schaffens und die künstlerische Transformation des menschlichen Lebens neue Möglichkeiten hervorbringen.

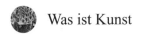

Die Hauptmerkmale von Kunstwerken

Der Grund, warum ein Werk zu einem öffentlich anerkannten Kunstwerk werden kann, hat seine wesentlichen Merkmale. Oder anders formuliert: ein natürliches Objekt, ein Artikel, eine Geschichte, ein Musikstück, ein Bild usw. muss diese für ein Kunstwerk erforderlichen Merkmale erfüllen, um ein wahrhaft bedeutendes Kunstwerk zu werden.

4.1 Illusion, Übertreibung und Täuschung

Gute Kunstwerke müssen Illusion anbieten. Wenn Menschen einen Berggipfel sehen, der wie ein schlankes junges Mädchen aussieht und dadurch ein Gefühl von Kunst aufkeimt, dann nennen sie diesen Berg den Gipfel der Göttin. Tatsächlich handelt es sich im Wesentlichen um einen Berggipfel und das erhaltene Gefühl von einem Mädchen wird vollständig durch „Illusionen" verursacht.

Zum Beispiel können in der Literatur die Beschreibungen „Vögel fallen wie Blätter zu Boden" und „Blätter fallen wie Vögel zu Boden" bei Menschen ein Gefühl von Kunst erwecken. Wenn die Beschreibung hingegen lauten würde „Vögel fallen wie Vögel zu Boden" und „Blätter fallen wie Blätter zu Boden" oder direkt „Vögel fallen zu Boden" und „Blätter fallen zu Boden", dann wäre das künstlerische Gefühl der Menschen stark geschwächt. Es wird oft bestritten, dass Fotografie Kunst ist. Ein Gegenargument ist, dass die Genauigkeit der Fotografie zu hoch und die Illusion damit nicht stark genug ist. Die Menschen schätzen jedoch die Werke, deren Bild sich stark von der tatsächlichen Szenerie unterscheidet. Dies wird durch die Illusion der Kunst bestimmt. Tatsächlich sind fast alle Szenen aus einem Film nicht im realen Leben zu finden. Die zu sehenden Liebesszenen und Kriegsszenen sind allesamt mit vielen Illusionen angereichert, aber das Publikum erhält das Gefühl, dass es die gleichen Szenen sind wie im realen Leben. Obwohl es im Zweiten Weltkrieg viele tragische Szenen gab, gab es etwa wohl nie eine Szene wie in den Film „Saving Private Ryan". Aber wenn die realen Kriegsszenen in dem Film vollständig restauriert und wiedergegeben würden, dann wäre vielleicht niemand bereit, den Film anzusehen. Die Wertschätzung der Menschen für Kunst steht immer im Widerspruch, sie sehen gerne Illusionen, und Übertreibungen, und sogar gefälschte und stark irreführende Werke schwingen emotional mit oder bewegen sich als scheinbar reale Dinge. Dies ist ein wichtiges Gesetz für das spirituelle

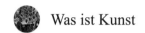

Streben der Menschen, ein vollständiger Prozess der Stimulierung - Assoziation - Rückkehr zur Realität - Restimulierung - Reassoziation. Die echte Mona Lisa mag etwa eine sehr mittelmäßige Frau gewesen sein, aber die Mona Lisa unter Da Vincis Pinsel ist zwischen Ähnlichkeit und Gegensätzlichkeit, voller Illusion und Übertreibung, und die Täuschung ist offensichtlich. Daher ist das Ölgemälde *Mona Lisa* für alle Menschen so faszinierend. Wenn man dieses Gesetz beherrscht, wird das Kunstschaffen nicht in die Irre führen. Realistische Werke können nicht mit der Realität gleichgesetzt werden, abstrakte Werke müssen konkret reflektiert werden, sonst verlieren diese Kunstwerke ihre Vitalität.

Tatsächlich ist die Aussage, dass „Kunst aus dem Leben stammt und höher als das Leben ist", nicht ganz richtig. Wir können nur sagen: „Einige Künste kommen aus dem Leben, aber großartige Kunst unterscheidet sich immer subtil vom Leben, ohne Spuren zu hinterlassen", denn nur so kann sie dem emotionalen Trend der Menschen entsprechen, wenn sie Kunst schätzen. Ob sie höher als das Leben ist, und ob es notwendig ist, über das Leben hinauszugehen, liegt hingegen völlig außerhalb der Künste.

Daher müssen Kunstwerke oder Dinge, den Menschen künstlerische Gefühle vermitteln können, illusionär, übertrieben und trügerisch sein.

4.2 Absichtliche Ungenauigkeit und zwischen Ähnlichkeit und Gegensätzlichkeit

Der höchste Bereich des künstlerischen Schaffens ist die absichtliche Ungenauigkeit und das Gefühl zwischen Ähnlichkeit und Gegensätzlichkeit. Wenn die Kreation des Künstlers die Grundlage für „Ähnlichkeit" bilden kann, dann ist „Gegensätzlichkeit" wie ein Licht der Fähigkeit, Inspiration und Weisheit.

Wenn ein Künstler vollständige „Ähnlichkeit" herstellen kann, besteht die „Gegensätzlichkeit", die er erzeugt, darin, das Streben nach Unterschieden und Distanz zu maximieren. Diese absichtliche Ungenauigkeit verleiht dem Werk einen höheren künstlerischen Wert. Van Goghs *Sonnenblume* ist ein gutes Beispiel. Beim Betrachten dieses Werks weiß zunächst jeder, dass van Gogh *Sonnenblumen* gemalt hat. Wenn man zu dem Schluss käme, dass es sich um Tortillas handelt, dann wäre das abstrus. Sodann haben die Menschen das Gefühl, derartige Sonnenblumen noch nie in ihrem Leben gesehen zu haben, und dass sie schöner und berührender sind als echte Sonnenblumen. Diese absichtliche Ungenauigkeit verleiht der Arbeit somit eine größere künstlerische Vitalität. Natürlich muss diese Ungenauigkeit kontrollierbar sein, und der Künstler kann sie leicht umsetzen.

Nennen wir ein weiteres Beispiel. Künstler achten beim Malen besonders

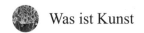

auf perspektivische Effekte. Wenn ein Künstler mit einer kameraähnlichen optischen Perspektive (d.h. einer physischen Perspektive) genau malt, sieht das Bild manchmal langweilig aus. Daher werden diejenigen Maler, die vertraut mit künstlerischer Technik sind, von der physischen Perspektive zur emotionalen Perspektive wechseln. Gemessen an der physischen Perspektive ist die emotionale Perspektive ungenau oder sogar absurd. Aber es ist die kluge Verwendung der emotionalen Perspektive durch den Künstler, die das Thema der Arbeit hervorhebt und das Kunstgefühl stark erhöht. Dies ist auch die Manifestation einer absichtlichen Ungenauigkeit im künstlerischen Schaffen.

Akustikexperten sagen uns, dass die Schönheit und die bewegende Kraft der Symphonie-Performance von den kontrollierten Ungenauigkeiten jedes Instruments herrühren. Wenn die Tonhöhe jedes Instruments genau gleich wäre, würde die starke akustische Resonanz, die während der Aufführung entstünde, den Soundeffekt extrem schrill und furchtbar machen.

All dies sind die wesentlichen Merkmale, die ein erfolgreiches Kunstwerk aufweisen muss. Diese Merkmale lassen sich zusammenfassen als: Illusion, Übertreibung und Täuschung, absichtliche Ungenauigkeit und der Unterschied zwischen Ähnlichkeit und Gegensätzlichkeit.

5

Schlusswort

Mit dem Aufkommen des Internets sind die Eintrittsbarrieren für viele Kunstkategorien zunehmend niedriger geworden. Literatur, Malerei, Musik, Videos und Werke aus anderen Gattungen können über das Internet hochgeladen und fast von der ganzen Welt gesehen und geprüft werden. Gleichzeitig können Menschen im Internet Wissen und sogar Fähigkeiten erwerben. Und auch die Kommunikation künstlerischer und kreativer Konzepte ist über das Internet einfacher geworden. Mit der kontinuierlichen Weiterentwicklung der Technologie werden immer mehr zuvor sehr technische Werkzeuge in alltägliche Werkzeuge umgewandelt. Die äußerst bequeme Kommunikation von Informationen hat die kulturelle Nachverarbeitung von Kunst beispiellos aktiv gemacht. Der Preisverfall bei Werken der Malerei in den letzten Jahren hat dieses Phänomen auch von einer anderen Seite reflektiert.

Die Ära der Internetdurchdringung wird zu Veränderungen im Leben, in den Emotionen und in den Werten führen, die auf Veränderungen in der

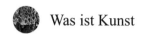 Was ist Kunst

Art und Weise der Kommunikation der Menschen, auf Veränderungen in der Art und Weise, Probleme zu verstehen und zu lösen, sowie auf nationales Management und Soziopolitik zurückzuführen sind. Die Art und Weise, wie Kunst erkannt wird, die Schöpfungsmittel, die Art der Präsentation und das Bewertungssystem werden beispiellose Veränderungen erfahren.

Daher ist es keine Übertreibung, das Internet-Zeitalter als Jugendstil-Zeitalter zu bezeichnen. In der zukünftigen Welt wird die Frage, was Kunst ist, zu einer Frage des Allgemeinwissens des alltäglichen Lebens der Menschen gehören.

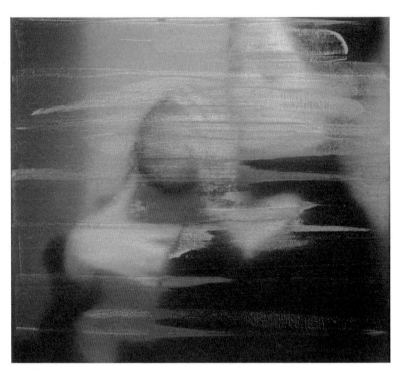

S. with Child
Gerhard Richter

5

Qu'est-ce que l'art

杜 天 译

Basé sur les caractéristiques essentielles de l'art, ce livre analyse profondément le sens de l'art, la loi de la création artistique et la tendance de l'appréciation de l'art au niveau philosophique. Les conditions de formation du sentiment artistique sont analysées, le processus de création artistique et les outils de création artistique sont classés, et les principales caractéristiques des œuvres artistiques sont également discutées dans une perspective unique.

Ce livre répond essentiellement à la question de savoir ce qu'est l'art au niveau philosophique. C'est la raison pour lesquelles une série de nouveaux concepts et méthodes de recherche artistique sont proposés, ce qui constitue un saut dans la compréhension de l'art et de la création artistique.

De nombreux points de vue dans ce livre proviennent de l'original de l'auteur. L'auteur a mentionné le contenu pendant ses discours dans des universités du monde entier et en a discuté dans les salons. Ces points de vue nouveaux et uniques ont suscité un grand intérêt des chercheurs dans le domaine de la théorie littéraire.

Ce livre résout fondamentalement un problème persistant dans les études littéraires et artistiques : le cadre de référence et les méthodes des études littéraires et artistiques ne peuvent pas être unifiés. À ce niveau, ce livre a, sans aucun doute, une valeur académique importante.

Ces points de vue sont maintenant publiés en huit langues sous forme de monographies, pour référence par plus de chercheurs et de passionnés de théorie littéraire dans le monde. Certains points de ce livre représentent également une valeur de référence importante pour les créateurs d'art ou les praticiens de l'industrie culturelle.

Ce livre se caractérise par une monographie avec si peu de mots qu'il est difficile de le décrire avec sa brièveté et sa précision. Toutefois, il a clairement énoncé les points de vue et a résolu de nombreux problèmes importants.

Nie Shengzhe

Octobre 2020

À Gaihua Tang à l'extérieur de Suzhou

SOMMAIRE

Qu'est-ce que l'art ? L'art, c'est quoi ? Ce sont deux expressions d'un même problème, et l'essentiel de toutes les deux est d'essayer de définir la différence entre l'art et le non-art. Pendant de nombreuses années, les gens ont essayé de définir clairement la portée et les limites de l'art. Un jugement très intuitif persiste sur l'art et le non-art, tout comme l'eau et le feu, et le noir et blanc qui sont complètement différents. Malheureusement, en raison des changements dynamiques dans les expressions artistiques et des diverses définitions individuelles de l'art, les gens ne peuvent souvent juger de l'art qu'en fonction de leurs émotions. La définition de l'art même subit des codes dictés par d'autres dans de nombreux cas.

Sans une définition de l'art précise et largement acceptée, notre création artistique, recherche universitaire, mode de pensée, présentation culturelle, niveau de culture et même intégrité morale seront sérieusement affectés. Nous avons appris de l'histoire que ce type d'impact est énorme : les progrès de la société humaine et de la civilisation risquent d'être frustrés ou de stagner.

En fait, la définition de l'art est avant tout celle du sens artistique, un problème qui passe du niveau physiologique au niveau philosophique. Le sentiment de l'art découle d'un processus dynamique de compréhension du monde, processus qui conduit souvent à un changement graduel de la perception de l'art. Ce changement progressif perceptuel rend progressivement la définition de l'art laïque, s'écarte de l'essence de la philosophie et perd le sens de la définition de l'art au niveau philosophique. Par conséquent, il n'y a pas de norme et de cadre de référence reconnus pour définir l'art.

D'une manière générale, une sensation artistique provient à l'origine de l'émergence soudaine de nouveaux éléments dans diverses vies non vivantes et inhabituelles, et les sens sont stimulés. Cette stimulation commence souvent de manière inattendue mais c'est la loi universelle que l'irritation peut provoquer un engourdissement après du temps. À mesure que de plus en plus de personnes expriment leurs émotions après avoir été stimulées par le même élément, la foule engourdie se réveillera progressivement, se sentira de nouveau activée et deviendra progressivement engourdie après l'activation. Les gens font un résumé généralisé de ce processus cyclique - ce résumé vient d'abord des sentiments, ensuite de l'induction émotionnelle, puis des outils du langage pour faire des définitions abstraites et générales. De nombreuses définitions se sont progressivement répandues.

Lorsque l'on étudie ce qu'est l'art, il faut clarifier quatre questions : le sentiment de l'art, le processus de création artistique, les outils de la création artistique, et les attributs particuliers des œuvres artistiques.

1

Deux conditions externes qui créent le sens artistique

1.1 Le sens artistique vient d'abord des différences - La nouveauté est l'état primaire de l'art

Imaginons que le sens artistique original des humains primitifs peut provenir des premières feuilles utilisées comme vêtements ; autrement, c'est le hurlement agréable avec le rythme d'un ancien homme. Comme les gens primitifs sont habitués à la nudité et au désordre, la présence soudaine de cette première feuille apporte son impact évident ; bien que le premier hurlement rythmique soit agréable, il laisse à l'auditeur plus de nouveauté et d'inattendu. La différence survient lorsque très peu de gens se couvrent de feuilles. Cette différence devient un nouvel état et il y existe une énergie potentielle. Pour éliminer cette énergie, on doit terminer la transition énergétique qui nécessite du temps, de la sagesse, du

courage et même de l'astuce.

En conséquence, le sens artistique vient d'abord des différences. Par exemple, si l'on s'habitue visuellement aux images versicolores, le noir et le blanc est de l'art ; au contraire, la couleur qui apparaît soudainement dans le monde noir et blanc est aussi de l'art. Prenons un autre exemple, l'apparition d'une voile blanche sur la mer bleue constitue un sens artistique et le sentiment qu'une figure bleue sur le vaste champ enneigé a laissé est principalement artistique. Un autre exemple, une personne qui vit dans une ville pendant longtemps se sent artistique une fois quand elle va dans une belle montagne alors qu'un montagnard, qui vit depuis longtemps au sommet de la montagne et qui n'y est jamais quittée, devient excité et a un sentiment artistique flou quand il se met dans la ville pour la première fois. Les exemples ci-dessus bien prouve que les effets produits par ces scènes sont complètement artistiques, malgré le fait que les sujets qui produisent ces scènes ne sont pas nécessairement artistiques et pas nécessairement motivés pour la création artistique.

Cette loi peut également être justifié par le chant des alouettes et la roue d'un paon. C'est parce qu'un paon fait la roue pour attirer les femelles et que des alouettes chante pour attirer les femelles ou passer le temps oisif. En tout cas, c'est impossible qu'ils s'occupent de la création artistique. Cependant, aux yeux des gens sentimentaux, ces phénomènes devraient produire un sentiment artistique.

Le sens artistique vient d'abord des différences parce que la

différence s'accompagne d'un sentiment de nouveauté qui est non seulement l'état la plus initiale du sens artistique, mais aussi une étape indispensable et insurmontable. Le sens artistique n'est pas statique et de nombreuses illusions artistiques seront abandonnées au fil du temps. Certains sentiments disparaîtront progressivement à mesure qu'ils deviendront de plus en plus courants, et seules les choses, qui possèdent des sentiments éternels, resteront dans la mémoire pendant longtemps. Ce type de mémoire a été répété, transmis et décrit avec des outils de langage, et un type de sens artistique a été reconnu par de plus en plus de personnes. Tout comme les œuvres de la première personne qui a peint, qui a chanté et qui a sculpté ne pouvaient pas être appelées art à l'époque. La raison pour laquelle ils ont ensuite été classés comme peintres, chanteurs et sculpteurs était que les différences avec la vie quotidienne provoquaient de l'excitation, conduisant à un processus de compréhension, de résumé, de doute, de reconnaissance et finalement de consensus.

1.2 Le sens artistique vient ensuite de la distance - Le mystère est une source importante du sens artistique

La distance est un concept physique, tant la distance spatiale que la distance temporelle. D'un point de vue philosophique, la distance est parfois une condition qui crée de la différence. Bien que cette différence soit souvent causée par l'illusion. En raison de cette propriété particulière de la distance, elle joue un rôle essentiel dans le processus du sens artistique.

Prenons d'abord un exemple du sens artistique des astres pour illustrer cet effet.

Dans la nuit de l'automne avec la brise douce, parfois la lune lumineuse brille dans le ciel et parfois le ciel s'étoile. Les gens qui vivent à la Terre avaient un sentiment de joie dès la première fois qu'ils ont vu des étoiles ou la lune. Le sentiment, que ce genre de paysage magnifique lointain laisse aux gens, est essentiellement artistique. Aux yeux des astronomes et des astrophysiciens, ces beaux rayons de rayonnement, remplis de planètes psychédéliques, sont des sphères glacées ou enflammées, qui sont en fait le sol, la roche ou la masse d'air. Ils forment naturellement, jettent ou reflètent des lumières, et se présentent par après avoir voyagé sur une longue distance. Toutefois, le sentiment qu'ils laissent est absolument artistique, et l'impression qu'ils laissent est définitivement une impression artistique. Par ailleurs, les sujets qui produisent ces scènes n'ont pas nécessairement des caractéristiques artistiques ou un motif de création artistique, mais les effets produits peuvent également être considérés comme complètement artistiques.

En effet, le sentiment de distance peut conduire à un mystère (provoqué par une incapacité à bien comprendre). Ce mystère est souvent

d'abord un sentiment flou. Il peut être une belle impression, souvent accompagnée d'illusions. Le sens de la vision produit une différence de sentiment, stimule la joie et finalement donne naissance à un sentiment artistique.

Il existe d'innombrables exemples qui illustrent que le sens artistique pousse grâce à la distance. Par exemple, des femmes africaines labourant les champs au soleil couchant. Leurs moindres mouvements, aux yeux d'Orientaux éloignés, peuvent transmettre un sens artistique alors que ce n'est que leur femme qui travaillait dans les champs pour leurs maris. Prenons un autre exemple, les vedettes sont bien fortunées de vivre aux yeux du public, et le sens artistique est incontestable. Au contraire, pour leur conjoint, ils ne sont que leurs épouses ou maris. Le sens artistique peut être fortement réduit.

De savoir si l'existence d'affaires extra-conjugales est raisonnable et si la tricherie est soumise à un procès moral est une question explorée par les sociologues, les éthiciens et les juristes. Cependant, c'est en fait un exemple de vie où la distance produit un sens artistique. En réalité, nous pouvons souvent voir que les conjoints, qui sont beaux, trichent aussi. Il s'agit d'un état dans lequel la distance dans la vie produit un sentiment artistique. Ce genre de sentiment artistique causé par la distance n'est rien d'autre qu'un sentiment de mystère, d'émerveillement, ou même une illusion d'association délibérée, et devient finalement un sens artistique.

Le sentiment laissé par les reliques culturelles est largement subjectif et artistique. Un ustensile ou un outil très ordinaire à cette époque, après des centaines d'années voire des milliers d'années, produisent naturellement un sens artistique, un sentiment artistique produit sans aucun doute par le temps.

Nous pouvons maintenant discuter si le sentiment est artistique quand on regarde des œuvres photographiques.

Que la photographie soit ou non de l'art est un sujet controversé depuis longtemps. En particulier, la photographie et la peinture présentent des œuvres visuelles planaires - des images (plans visuels). Les gens utilisent souvent des émotions simples pour faire les jugements suivants : cliquer sur le déclencheur pour faire une photo, ce qui n'est pas du tout l'art. Mais la peinture est une œuvre créée par un peintre au pinceau ou au couteau après un beau travail de finesse. Une seule peinture (plan visuel) peut donc être de l'art.

De ce fait, analysons maintenant les outils et les processus de la photographie.

La photographie peut être complétée en un instant avec des outils complexes alors que la peinture nécessite des créations très complexes avec des outils simples. Il suffit d'appuyer sur l'obturateur pour réaliser la photographie, et aucune compétence n'est requise, mais la peinture nécessite de superbes compétences. En fait, ce critère est trop réaliste, voire émotionnel. Jugeons les différences. Premièrement, la photo n'est pas la même chose que l'objet qui produit la photo mais un travail

visuel plat qui est enregistré basé sur le jugement du photographe à un certain moment. Les photographes expérimentés concevront également l'ouverture, l'obturateur, la modélisation de la lumière et d'autres méthodes, de sorte que les photos prises auront un paysage réel différent de ce que l'œil peut voir, et la différence sera encore plus énorme. En réalité, une phrase peut expliquer cette différence : on peut savoir si une personne est photogénique lorsqu'elle prend une photo, ce qui reflète pleinement la nature des différences entre les œuvres photographiques et les objets réels, photogéniques ou non, mais ce n'est pas la personne en réalité. Le monde enregistré par l'objectif est différent de la scène vue par les yeux, et les différences en lui conduisent à la possibilité d'un sens artistique.

Ensuite, analysons sur la distance. Par exemple, sur une photo de l'Himalaya, ce que nous voyons est une photographie de l'Himalaya qui est à des milliers de kilomètres, et l'espace est très grand. Il s'agit également d'un enregistrement d'image momentané, et la distance temporelle est également évidente. Si nous allons dans l'Himalaya avec cette photo et que nous voulons trouver le sentiment sur la photo, c'est presque impossible, au mieux ce ne peut être que le sentiment de « ces deux endroits se ressemblent ».

Par conséquent, tant que l'on juge des deux caractéristiques qui produisent le sens de l'art et le sens de la distance, le sens artistique des œuvres photographiques existe clairement. Nous pouvons également

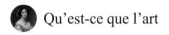
connaître les sentiments produit lorsque les personnes lisent, regardent et écoutent et savoir selon ces deux caractéristiques si elles ont des caractéristiques artistiques dans d'autres formes d'œuvres, telles que la littérature, la peinture, le théâtre, la danse, le cinéma, la télévision, et l'architecture.

Deux processus de création artistique

La naissance d'une œuvre artistique passe généralement par deux processus, à savoir le traitement physique et le traitement culturel (émotionnel).

2.1 Le traitement physique est la première étape de la naissance de l'œuvre d'art

Tout objet ne peut pas devenir une œuvre d'art sans être transmis sous forme physique. La musique est transmise par des ondes sonores ; les arts visuels, tels que la peinture, la photographie, la modélisation et le

spectacle, se transmettent par le biais d'ondes lumineuses (la littérature transmet également des codes de mots par le biais d'ondes lumineuses, et elle est ensuite convertie en contenu). La cuisine est réalisée par le contact moléculaire du goût, ce qui est principalement un processus physique, mais accompagné du processus chimique.

Avant la création de l'art, la sculpture peut être une pierre ou un tas d'argile plastique ; la peinture peut être une toile, du papier, un pinceau ou de l'encre ; la littérature peut être du papier et un stylo (un ordinateur aujourd'hui) ; la musique est des notes et des instruments ; la photographie est un appareil photo, des objets et la lumière, la construction est des travailleurs, des machines et des matériaux de construction.

Le processus de traitement physique est simplement le processus de traitement et de fabrication. Les sculpteurs utilisent des couteaux à découper, des marteaux et des ciseaux ; les peintres utilisent des peintures et des pinceaux ; les musiciens utilisent divers instruments ; les écrivains et les poètes utilisent du papier et des stylos (actuellement des téléphones portables ou des ordinateurs) ; les photographes utilisent des appareils photo et les constructeurs utilisent des dessins pour diriger les travailleurs. En conséquence, les sculptures et les peintures ont été achevées, les romans et les poèmes ont été écrits, la musique a été jouée, les photos ont été prises et les bâtiments ont été construits, ce qui signifie que le processus physique de la création artistique est terminé.

2.2 Le travail culturel du créateur est accompagné d'un traitement physique

Le traitement culturel est divisé en deux processus : le « pré-traitement » culturel et le « post-traitement » culturel.

Le traitement pré-culturel (également connu sous le nom de traitement émotionnel) est un processus complété par le créateur et s'accompagne toujours du traitement physique. Lors de la création, l'artiste a souvent une motivation artistique claire qui existe pendant tout le processus de création. C'est un processus pré-culturel. Ce processus de traitement culturel permettra aux artistes de modifier ou de sublimer continuellement leurs créations dans le processus de traitement physique, et enfin de rendre l'œuvre réaliste, pleine de fantaisie ou grotesque, ce qui rend l'œuvre plus artistique. Cependant, ce type de traitement pré-culturel, qui provenait des créateurs, a souvent des limites. Ce processus se termine souvent à la fin du processus de traitement physique, et ses effets sont très limités.

Quant au processus de traitement post-culturel, c'est un cycle de l'imagination et de la transmise par des outils de langage. Ce processus ajoute plus de vie artistique et de valeur aux œuvres et aux choses. Ce type d'ajout est souvent difficile à prévoir et peut même atteindre une expansion infinie.

2.3 Le traitement post-culturel s'isole de l'œuvre et du créateur

Bien que le processus de post-traitement culturel soit basé sur la personnalité, la qualité et l'âme du travail, il commence souvent après la création de l'œuvre. Le traitement post-culturel est un véritable traitement culturel, un processus très complexe et sans fin, et le résultat est souvent loin de l'intention initiale du créateur. Basé sur l'imagination, l'expérience personnelle, divers objectifs, les croyances religieuses, la fierté nationale, la possession de statut, les intérêts économiques et le pillage de guerre, ce type de sensation culturelle de post-traitement est et le processus d'imaginer et d'enrichir des émotions artistiques. L'énergie du processus de post-culture est énorme, si grande qu'elle est inimaginable. Les effets du post-traitement artificiel d'œuvres d'art créées culturellement sont évidents, par exemple, *Les Tournesols* de van Gogh et le *Canapé Bocca* de Dali sont les produits ultimes du post-traitement culturel. Au fil du temps, un traitement culturel de plus en plus merveilleux rend ces œuvres plus précieuses. En fait, à l'époque, la reconnaissance de van Gogh et Dalí sur leurs œuvres ne serait jamais aussi élevée que la société d'aujourd'hui. À ce moment-là, ces œuvres peuvent être simplement des œuvres ordinaires pour eux, et ils même étaient sincères et avaient peur que d'autres se fut moqué de leurs œuvres. Cependant, avec les changements historiques, les expositions constantes et le mystère délibéré, les opérations commerciales et l'attention de génération en génération, le post-traitement culturel de ces œuvres n'a jamais cessé, et de plus en plus intense. Ce phénomène était inattendu par les créateurs de ces œuvres. S'ils le savaient au paradis, ils seraient très contents. En ce sens, ces œuvres, telles que *Les Tournesols* et le *Canapé Bocca*, ont été co-écrites par van Gogh, Dali et les disciples suivants à travers le monde, parce que cet énorme processus de post-traitement culturel a été effectué par la postérité.

Non seulement les œuvres créées artificiellement entrent dans un processus post-culturel, mais certains objets naturels ou néants peuvent également être mis dans ce processus. Par exemple, un rocher sur la montagne et un pin ancien peuvent être doués d'une vie et d'une valeur artistiques à travers le traitement culturel des générations.

Prenons le Pinus hwangshanensis par exemple. Cet ancien pin sur la montagne Huangshan était à l'origine un pin naturel sans nom. Il a été nommé Yingke Song par le post-traitement culturel. Avec de plus en plus de visiteurs, chaque touriste, photographe et peintre qui l'a vu décrit constamment ses caractéristiques à partir de sa propre imagination, ce qui est souvent une description émotionnelle. Grâce à la diffusion d'outils linguistiques, Yingke Song devient de plus en plus spécial, et un pin naturel qui n'a aucun sens de la différence et de la distance devient différent des autres pins ordinaires. Yingke Song d'aujourd'hui remplit le spectateur d'une expérience artistique. En fait, la légende de Liu Sanjie,

de Yuegong Chang'e et de Shennü Feng sont toutes des exemples typiques d'objets naturels ou de néants qui sont devenus des objets artistiques grâce au post-traitement culturel.

Il est important de souligner que, pour les peintures, sculptures, architectures et autres œuvres qui ne sont pas reproductibles, leur caractère unique conduira au renforcement continu du post-traitement culturel ainsi que des opérations commerciales, et enfin, il est possible que les opérations commerciales dominent le post-traitement culturel. En revanche, le post-traitement culturel apporte des interprétations explicite aux opérations commerciales. Ce type de phénomène « d'autocouplage » du traitement culturel et de l'exploitation commerciale n'arrêtera pas le post-traitement culturel tant qu'il existe un marché pour ce type de création. Au contraire, la littérature et la musique (en particulier la composition) n'ont pas autant de chance, parce que les romans, la poésie et les partitions musicales peuvent être copiés à tout moment, sans l'unicité de l'échantillon, et ainsi perdre la valeur des opérations commerciales.

Certaines personnes peuvent se demander si les manuscrits d'œuvres littéraires et de partitions ne sont-ils pas aussi précieux ? Oui, mais la valeur artistique de ces manuscrits ressemble à celle de la calligraphie et de la peinture, ils sont relativement séparés de la valeur des œuvres littéraires et de la musique. De leur dénomination, nous pouvons voir qu'il est différent de l'œuvre elle-même, par exemple, le manuscrit *Madame Bovary* de Flaubert, le manuscrit *À la mémoire des oubliés* de Lu Xun.

Ce ne sont que la valeur du manuscrit qui est indépendante de la valeur de l'œuvre elle-même. Même si le manuscrit est lié à la valeur des œuvres littéraires et musicales, la relation reste faible.

Par conséquent, le post-traitement culturel d'œuvres telles que la littérature et la musique semble beaucoup plus difficile. L'opérabilité commerciales est plus faible et même il n'y a pas de « couplage automatique » du traitement culturel et des opérations commerciales.

Deux outils pour la création artistique

La création artistique nécessite des outils qui incluent des outils physiques et des outils conceptuels au niveau philosophique. Nous divisons pour le moment cet outil philosophique en « outils quotidiens » et « outils techniques ». Les outils quotidiens sont ceux que les gens peuvent utiliser sans beaucoup de formation professionnelle, par exemple, l'utilisation de texte lors de l'écriture, l'utilisation d'appareils photo automatiques pendant la photographie et l'utilisation de membres dans les films,

etc. Mais la maîtrise des outils techniques nécessite une formation approfondie, par exemple, les instruments et les notes utilisés par les instrumentistes et les compositeurs, le contrôle de la corde vocale et de la respiration par les chanteurs, ainsi que les mouvements du corps du ballet, des acrobates et des gymnastes artistiques, etc. Les outils techniques se caractérisent par l'exigence d'une formation professionnelle et de la direction par des experts. C'est presque impossible qu'on les maîtrise par l'auto-apprentissage.

Cependant, certains outils sont difficiles à définir comme des outils quotidiens ou des outils techniques, par exemple, les compétences en calligraphie, les compétences en chant des chansons folkloriques et des chansons populaires, certaines méthodes artistiques. Les compétences dans ces domaines peuvent parfois être saisies et appréhendées par le biais de la perception personnelle ou de la réflexion à long terme, et nécessitent parfois une formation spéciale et des conseils spéciaux, il est donc difficile de les définir comme des outils quotidiens ou des outils techniques. Les deux sont donc des créations artistiques, mais les outils utilisés sont différenciés, et certains sont même fondamentalement différents. C'est une question très importante qui mérite une recherche sérieuse et approfondie.

3.1 Caractéristiques des outils quotidiens

Il y a quelques centaines d'années, peu de gens savaient lire et écrire, et l'écriture à cette époque devait classée dans la catégorie des outils techniques. Cependant, les gens d'aujourd'hui sont essentiellement alphabétisés, et la création littéraire devrait appartenir à la catégorie des outils quotidiens. Par conséquent, le monde d'aujourd'hui est déjà une ère de « l'écriture, c'est comme parler, et les gens peuvent le faire ». Tant qu'on a la confiance, presque tout le monde peut s'engager dans l'écriture littéraire. Nous apprenons des faits que la plupart des écrivains, qu'ils soient professionnels ou non aujourd'hui, partent essentiellement de l'amateur. C'est parce qu'ils utilisent des outils quotidiens, ce qui construit un seuil pas haut, et ils peuvent donc le commencer sans limites. Après le commencement, avec l'émergence de l'inspiration et le niveau de compétence dans la création continue, il y aura un point quand certains créent de bonnes œuvres et même des classiques littéraires, alors que certaines œuvres disparaissent en raison de l'incapacité de se distinguer.

Avec l'avancement de la technologie, il est désormais très courant d'acheter un appareil photo numérique, et il est même légèrement obsolète. De nombreux téléphones ont déjà d'excellentes fonctions de photographie. Par conséquent, bien que la photographie soit un art, des outils quotidiens sont utilisés. Les outils de photographie deviennent plus

quotidiens grâce à l'amélioration continue des fonctions de photographie sur téléphone.

La performance cinématographique et télévisuelle est également un art créé à l'aide d'outils quotidiens. Il y a actuellement de nombreuses écoles d'art dramatique et de cinéma qui dispenseront également de nombreuses cours théoriques en expliquant « Meisibu » (Théorie du théâtre de Mei Lanfang[1], Constantin Stanislavski[2]et Bertolt Brecht[3]. Toutefois, il est évidemment faux d'utiliser ces points de vue ou ces doctrines comme théorie de la performance pour inculquer de force les étudiants et essayer de classer les arts du cinéma et de la télévision dans la catégorie des outils techniques. À proprement parler, le système de performance dit « Meisibu » est juste quelque chose qui résume l'expérience. Ces expériences sont uniquement à titre de référence et non instructives. Shangguan Yunzhu[4]était un bricoleur dans un salon

---

[1] Mei Lanfang (1894-1961), un artiste éminent dans l'histoire de l'opéra de Beijing, est célèbre pour sa représentation des rôles féminins.

[2] Konstantin Stanislavski (1863-1938), un acteur, metteur en scène, éducateur de théâre russe et aussi co-fondateur du Théâre d'art de Moscou, est connu pour sa méthode ou son système d'interprétation Stanislavski.

[3] Bertolt Brecht (1898-1956), un dramaturge et poète allemand, a créé le théâre épique, également appelé le théâre dialectique.

[4] Shangguan Yunzhu (1920-1968), l'une des actrices les plus talentueuses et polyvalentes de Chine dans les années 1940 et 1950, était est considérée comme l'un des cent meilleurs acteurs du cinéma chinois du XXe siècle.

de coiffure, tandis que Chow Yun-fat[1] et Swassinger n'ont reçu aucune formation en performance et l'étude approfondie sur la théorie « Meisibu », mais ils sont tous devenus des artistes de cinéma exceptionnels.

La performance cinématographique et télévisuelle est une création qui ressemble le plus la constitution des scènes réalistes. Chacun a sa propre expérience de la vie. Bien sûr, les rôles présentés ne sont pas les mêmes. Quant aux personnages du scénario, le scénariste peut ne pas avoir une image claire, et le modèle ne peut donc être compris et interprété que par le créateur lui-même. L'inexactitude d'une telle reproduction de scène conduit souvent à la distance et à la différence de la création, ce qui laisse une impression artistique plus profonde. La performance de Chaplin et Zhao Benshan[2] devrait être la scène la plus « inexacte », mais on l'a beaucoup appréciée. C'est parce que leurs performances se déroulent à l'aide des outils quotidiens pour une exagération extrême, mais ils ne respectaient pas la théorie « Meisibu » et n'essayaient pas de transformer les outils quotidiens en outils techniques.

---

① Chow Yun-fat (1955-   ), l'un des acteurs les plus connus de Hong Kong de Chine, a aussi une réputation internationale comme Bruce Lee, Jackie Chan, Tony Leung et Michelle Yeoh, etc.
② Zhao Benshan (1957-   ), est un acteur, comédien, réalisateur de télévision et marchand d'art chinois.

Ce n'est pas facile même si la création est réalisée avec les outils quotidiens. Le succès d'une œuvre dépend largement du talent, de la compréhension et des efforts du créateur. Une personne très talentueuse qui sait constamment essayer et résumer deviendra de plus en plus compétente en utilisant des outils quotidiens et pourra réaliser de grands succès dans la création. Au contraire, certaines personnes tentent de mystifier délibérément des créations artistiques qui devraient appartenir à des outils quotidiens, essaient de transformer des outils de quotidiens en outils techniques, et bloquent les gens qui veulent utiliser des outils quotidiens pour créer. Ils sont stupides, voire ridicules et il est rare pour eux de réussir.

3.2 Caractéristiques des outils techniques

La composition dans la création musicale, ainsi que la performance instrumentale, sont des créations typiques réalisée à l'aide des outils techniques. Il faut une longue période de formation sur les outils avant pouvoir commencer sa création, ce qui construit une barrière des outils mystérieux entre les gens ordinaires et les créateurs. Pour les gens ordinaires, il est très difficile de participer à la création artistique avec outils techniques. Ils ne peuvent que consommer ou apprécier ce type d'art. L'art de ballet et certains types de beaux-arts sont tous des arts créés par des outils de compétence. L'art de ballet et certains types de beaux-arts sont tous des arts créés avec des outils techniques. Face ce type d'art, le grand public ne peut que dire s'il leur fait plaisir. Mais quant aux autres aspects, il s'agit des questions de perception.

Avec la vulgarisation des ordinateurs, certaines des créations qui appartenaient aux outils techniques peuvent se transformer en création d'outils quotidiens. Les outils techniques mécaniques et répétitifs deviennent simples et routiniers grâce aux ordinateurs. Par exemple, on peut composer ou programmer avec un ordinateur. Il est même possible que d'excellentes œuvres cinématographiques et télévisuelles soient réalisées avec un DV, un ordinateur ou même un téléphone portable. Bien sûr, il y a encore un écart en termes de la qualité des éléments créés par ces outils, mais avec le développement de la technologie, ce problème sera progressivement résolu. Par conséquent, il est possible de réaliser la vulgarisation de la création artistique et de la vie artistique.

Des caractéristiques principales des œuvres d'art

La raison pour laquelle une œuvre peut devenir une œuvre d'art reconnue par le public tient à ses caractéristiques fondamentales. En un mot, un objet naturel, un objet naturel, un article, une histoire, un morceau de musique ou une image doit avoir les caractéristiques d'aspect qu'une œuvre d'art devrait avoir pour devenir une œuvre d'art excellente.

4.1 Illusion, exagération et tromperie

Une bonne œuvre d'art doit être illusoire. Lorsque les gens voient un sommet de montagne qui ressemble à une jeune fille mince, le sentiment de l'art surgit du cœur, et ils appellent cette montagne Xiannü Feng. En fait, c'est essentiellement un sommet montagneux, et le sentiment est complètement causée par l'illusion.

Dans les descriptions littéraires, « les oiseaux tombent par terre comme des feuilles » et « les feuilles tombent par terre comme des oiseaux » peuvent apporter le sens artistique. Si nous disons « les oiseaux tombent par terre comme des oiseaux » et « les feuilles tombent par terre comme des feuilles », ou bien directement, « les oiseaux tombent par terre» et « les feuilles tombent par terre », le sentiment artistique s'atténuera largement. On a toujours contesté si la photographie est un art. L'une des augmentations est que l'illusion crée par la photographie n'est pas assez forte en raison de sa précision. Mais ils apprécient les œuvres dont les photos sont très différentes du paysage réel. Tout est déterminé par l'illusion que l'art doit avoir. En fait, presque toutes les scènes du film n'existent pas dans la vie. Les histoires d'amour et la guerre servent à renforcer l'illusion et c'est juste que le public que les histoires sont pareilles que ceux dans la vie réelle. Bien qu'il y ait eu de nombreuses histoires tragiques pendant la Seconde Guerre mondiale, il n'y a jamais l'histoire similaire à celle racontée dans le film *Il faut sauver le soldat Ryan*. Si l'histoire de la guerre était complètement reconstituée, personne n'aimerait le voir. L'appréciation de l'art est toujours en contradiction. On attend des œuvres pleines des illusions, des exagérations, même de fausses, alors qu'on le prend émotionnellement comme de vraies histoires. C'est une loi importante pour la poursuite spirituelle : stimulation, association, retour à la réalité, re-stimulation, et réassociation. La Joconde est peut-être une femme toute médiocre, mais la Joconde sous le pinceau de Da Vinci est pleine d'illusion et d'exagération avec la tromperie

évidente. C'est pourquoi la peinture *Mona Lisa* est affolant pour tout le monde. La création artistique ne s'égarera pas avec cette loi. Les œuvres réalistes ne peuvent pas être assimilées à la réalité, et les œuvres abstraites doivent avoir une réflexion concrète, sinon ces œuvres perdront leur vitalité.

En fait, ce n'est pas suffisamment exacte si l'on dit que « l'art provient de la vie et plus vivant que la vie ». Nous ne disons que « l'art vient de la vie, mais un art superbe est toujours subtilement différent de la vie sans laisser des différences évidentes », parce que ce n'est que de cette manière que l'art conforme à la tendance émotionnelle des gens qui apprécient l'art. Il ne concerne pas du tout l'art si on demande si l'art est supérieur à la vie ou s'il faut l'être

Par conséquent, les œuvres d'art, ou ceux qui peuvent donner aux gens des sentiments artistiques, doivent être illusoires, exagérées et trompeuses.

4.2 Imprécision intentionnelle entre la ressemblance et la différence

Les œuvres d'art les plus excellentes sont celles crées avec l'imprécision intentionnelle entre la ressemblance et la différence. Si la création artistique est bien basée sur la « ressemblance », la « différence » pourra servir de technique, d'inspiration, et d'intelligence à l'artiste.

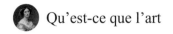

Sinon, la création se caractérise par de mauvais arts.

Quand un artiste peut accomplir une création en tout respectant la règle « ressemblance », la « différence » qu'il a crée peut apporter la plus de caractéristiques de diversité et de distance. Cette incertitude intentionnelle attache la valeur artistique plus haute aux œuvres d'art. *Les Tournesols* de van Gogh peut servir de modèle. Tout le monde connaître cette peinture ainsi que son créateur dès qu'on la voit. Mais ce sera trop absurde si on la considère comme Tortilla. Ensuite, on sent qu'il n'a jamais vu un tel tournesol et que le tournesol dans la peinture est plus beau et plus impressionnant que celui dans la vie réelle. Plus de vitalité artistique sont attachée à la création grâce à cette imprécision. Mais c'est sûr que cette imprécision doit rester sous contrôle et être réalisée facilement par l'artiste.

Prenons un autre exemple. Les artistes accordent une grande attention aux effets de perspective lorsqu'ils peignent. Si un artiste peint précisément avec une perspective optique semblable à un appareil photo (c'est-à-dire une perspective physique), l'image sera parfois terne. En ce moment, les peintres qui connaissent bien les techniques artistiques choisiront de passer de la perspective physique à la perspective émotionnelle. Mesurée par la perspective physique, la perspective émotionnelle est inexacte, voire ridicule. Mais grâce à l'utilisation de la perspective émotionnelle, le thème de la création artistique se distingue avec un charme artistique.

Les experts en acoustique nous disent que la beauté et le choc des performances symphoniques proviennent des imprécisions contrôlées de chaque instrument. Si la hauteur des instruments sont exactement pareils, la performance sera perçante à cause de la forte résonance acoustique.

Tous ces caractéristiques sont nécessaires pour créer une œuvre d'art excellente. En résumé, ils sont l'illusion, l'exagération, la tromperie et l'imprécision intentionnelle entre la ressemblance et la différence.

La Danse
Henri Matisse

Conclusion

L'émergence de l'Internet facilite l'entrée pour divers arts. Les œuvres littéraires, de peinture, de musique et de vidéo peuvent être téléchargées par Internet et partagées presque dans le monde entier. En même temps, on peut également obtenir des connaissances ou même des techniques sur Internet, ce qui permet d'échanger facilement sur les avis sur l'art et la création. De plus en plus d'outils quotidiens deviendront des outils techniques avec au fils du développement de la technologie. Le post-traitement culturel de l'art est devenu actif sans précédent grâce à la communication d'informations extrêmement pratique, ce qui se reflète indirectement par la forte fluctuation des prix des peintures ces dernières années.

Avec la vulgarisation de l'Internet, la façon de communication changera, ainsi que le moyen de connaître et résoudre des problèmes, de sorte qu'on voit le changement de la vie, de l'émotion, et des valeurs. La

gestion de l'État et la sociopolitique vont également changer largement. La compréhension qu'ont les gens de l'art, des méthodes créatives, des méthodes de présentation et des systèmes d'évaluation subiront tous des changements sans précédent.

Il n'est donc pas exagéré d'appeler l'ère Internet comme l'ère Art nouveau. Dans le monde futur, la question de savoir ce qu'est l'art deviendra une question de bon sens dans la vie quotidienne.

Le Pont japonais
Oscar-Claude Monet

6

俄文版

Что такое искусство

刘娜 译

Основываясь на основных характеристиках искусства, на философском уровне автор в настоящей работе делает глубокий анализ по чувству искусства, закону художественного творчества и эмоциональной тенденции оценки людьми искусства. Автор также анализирует условия формирования художественного чувства, классифицирует процессы художественного творчества и его инструменты, а также дает уникальный взгляд на основные характеристики художественных произведений.

Автор в книге ответил на вопрос, что такое искусство с философским подходом, и предложил ряд совершенно новых концепций и методов исследования искусства, что является скачком в понимании искусства и художественного творчества.

Многие идеи в книге оригинальны. Ряд его работ обсуждался на лекциях и в салонах университетов по всему миру. Эти новые и уникальные идеи вызвали большой интерес у ученых в области изучения теории искусства.

В этой работе по существу рассматривается и решается давняя

дилемма в области литературного и художественного изучения – неспособность унифицировать справочную систему и методы литературно-художественных исследований. Исходя из данной точки зрения, книга, несомненно, имеет большую научную и академическую ценность.

В настоящее время эти идеи публикуются в виде монографии на восьми языках для большего числа исследователей и любителей теории искусства в мире. Часть ее содержания также имеет большую справочную ценность для творцов произведений искусства или тех, кто работает в сфере культуры.

Книга, как монография, настолько мала, что словами «краткий» и «небольшой» трудно описать ее маленький объем. Однако, несмотря на то, что количество слов невелико, точки зрения изложены четко и ясно, многие загадочные вопросы решены, поэтому нет необходимости тратить большое количество чернил.

Не Шенчже

Октябрь 2020 года

Гай Хуатан, за городом Сучжоу

СОДЕРЖАНИЕ

Что такое искусство и искусство есть что? Это два выражения одного и того же вопроса, суть которого заключается в попытке определить разницу между искусством и неискусством. На протяжении многих лет люди пытаются четко определить масштаб и границу искусства, а также делать интуитивные суждения об искусстве и неискусстве, чтобы различить их в контрастной форме, как вода и огонь, черное и белое... Но, к сожалению, динамические изменения в художественном выражении и различные индивидуальные определения по искусству заставляют людей часто делать суждения об художественных характерах вещей только на основе эмоциональных восприятий, и даже, во многих случаях, определения искусства, сделанные людьми, просто являются повторами слов других людей.

Без точного и общепринятого определения по искусству наше художественное творчество, академические исследования, менталитет, культурная презентация, уровень культурной грамотности и даже моральная этика будут находиться под серьезным влиянием. Опыт истории научил нас тому, что последствия такого влияния огромны, которые, по большой вероятности, могли бы сорвать и затормозить прогресс развития человеческой цивилизации.

На самом деле, определение искусства – это прежде всего определение чувства искусства, которое является вопросом, переходящим от физического до философского уровня. Чувство искусства возникает в ходе динамического процесса восприятия людьми мира, который часто приводит к перцептивному постепенному изменению определения искусства. Эта чувственная градация, в свою очередь, делает определение по искусству все более светским, отрывая его от сущности философии, такрим образом, теряется смысл найти философское определение по искусству. В связи с этим, на сегодняшний день не существует общепринятого стандарта и справочной системы для определения искусства.

Вообще говоря, чувство искусства изначально мелькает из-за внезапного появления новых элементов, которые не часто встречаются в повседневней жизни, также в обычных состояниях, в результате чувства людей стимулируются, поэтому такая стимуляция часто начинается с неожиданного. Но, тем не менее, любая стимуляция проводит к онемению через определенный промежуток времени – это общий объективный закон. Однако, по мере того, когда все больше и больше людей стимулируются одним и тем же элементом, онемевшие постепенно пробуждается и снова чувствует себя активированными, затем опять постепенно онемевают... В итоге обобщая этот циклический процесс, люди сначала исходят из чувства, за которым из эмоциональной индукции, впоследствии используют языковые инструменты, чтобы сделать абстрактное и общее определение. Таким образом многие определения постепенно распространяются.

При рассмотрении вопроса о том, что такое искусство, необходимо уточнить четыре вопроса: 1. чувство искусства ; 2. процесс художественного творчества; 3. инструменты художественного творчества; 4. особые характеристики произведения искусства.

1

Два внешних условия для появления чувства искусства

1.1 чувство искусства исходит в первую очередь из дифференциации – свежесть является его первоначальным состоянием

Можно предположить, что изначальное ощущение искусства первобытного человека могло возникнуть в первых листьях, использованных для затенения; или некий древний человек случайно очень ритмично и приятно завыл. Ибо для первобытных людей, привыкших к наготе и завыванию, этот первый лист появился настолько внезапно, что его ударное воздействие стало очевидным; а первое ритмичное завывание, хотя и приятно для уха, но оставило у слушателя больше, чем ощущение новизны и неожиданности. Разница возникает, когда очень немногие затеняют себя листьями.

Эта разница является новым состоянием, и с этой разницы между разными состояниями приходит потенциальная энергия. А для устранения данной потенциальной энергии необходимо завершить энергетический скачок, который требует времени, мудрости, мужества и даже мастерства.

Так что чувство искусства приходит в первую очередь от разницы. Например, черно-белое – это искусство, когда зрение привыкло к цветным картинкам; наоборот, внезапное появление цвета в черно-белом мире – это тоже искусство. Приведем еще пример, появление белого паруса на синем море вызывает у людей художественное ощущение; синяя фигура посреди огромного снежного поля также производит ощущение преимущественно художественное.

Другим примером является то, что для человека, который долгое время живет в городе, как только он приезжает на знаменитую гору с красивым пейзажем, он испытывает чувство искусства; наоборот, когда человек, который долгое время живет на вершине горы и никогда не выходил из нее, в первый раз приехал в город, он чувствует восторг, а также очень туманное художественное ощущение. Приведенные выше несколько примеров полностью показывают, что, хотя субъекты, создавшие эти сцены, не обязательно художественны или мотивированы художественным творчеством, но эффекты, производимые этими сценами, полностью носят характер

искусства.

Этот закон можно также проверить по пению жаворонка и на примере павлина, распускающего хвост. Ибо павлины открывают свои хвосты чисто для ухаживания, а жаворонки, может быть, поет для ухаживания, или просто сидит без дела и скучает, но они ни в коем случае не занимаются художественным творчеством. А в сердцах сентиментальных людей чувства, порожденные этими явлениями, наоборот отражаются на художественном уровне.

Чувство искусства исходит в первую очередь из разницы. Потому что разница приводит к свежести, а свежесть является первоначальным состоянием художественного ощущения, а также незаменимой ступенью, которую нельзя пропустить. Чувство искусства не находится в неизмененном состоянии, потому что со временем многие чувства искусства, порожденные иллюзиями, забываются.

Некоторые ощущения исчезают из виду по мере того, как они становятся все более и более обыденными, и только то, что имеет силу создать вечные ощущения, остается в памяти людей надолго. Такая память итерируется, передается и описывается с помощью языковых инструментов, соответственно данного рода чувство искусства становится признаваться все больше и больше людьми. Подобно тому, как работу первого человека, который рисовал, первого человека, который пел, первого человека, который лепил,

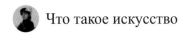

нельзя было тогда назвать искусством. Причина, по которой они впоследствии были сведены к художникам, певцам и скульпторам, заключалась в том, что отличие от повседневной жизни вызвало стимуляцию, приводя к процессу познания, обобщения, сомнения, переосмысления и, в конце концов, к консенсусу.

1.2 Чувство искусства приходит из дистанции – чувство таинственности является важным источником художественного ощущения

Расстояние, будь то пространственное расстояние или расстояние во времени, является понятием физики. А с философской точки зрения, расстояние иногда является условием, которое порождает дифференциацию, хотя она часто является результатом иллюзии. Особый атрибут расстояния определяет, что он играет жизненно важную роль в формировании художественного чувства.

Для начала приведем пример, чтобы объяснить, как небесное тело вызывает у людей чувство искусства.

Представьте себе спокойную осеннюю ночь с бризом, на небе иногда видна луна, а иногда усеяны звезды. Люди, живущие на земле, с первого взгляда на звезды или луну чувствуют внутреннее наслаждение в глубине души, потому что это прекрасное зрелище, хотя вдали на

небе, но оставляет у людей по сути художественное ощущение.

Не смотря на то, что в глазах астрономов и астрофизиков эти прекрасно сияющие, психоделически заполненные планеты, по сути, являются либо холодными, либо огненными шарами, и на самом деле представляют собой большие кучи природных глинистых, скальных или газовых масс, которые светятся сами по себе или отражают свет, и подаются глазу людей на большие расстояния. Но ощущение, которое они оставляют у людей, определенно художественное, и впечатление, которое они производят, определенно художественное. Конечно, субъекты, которые создают эти зрелище, не обязательно художественны по своему характеру и не имеют художественных мотивов, но произведенный эффект можно считать абсолютно полностью художественным.

Это потому, что ощущение расстояния приводит к чувству таинственности (вызванной неспособностью досконально понять), которое часто является, прежде всего, туманным чувством, возможно, красивым впечатлением, часто сопровождаемым иллюзиями, в данном случае, люди видят невидимые сцены, которые обычно по близости вокруг себя не могут видеть, чувствуют разницу, стимулирующую удовольствие, и, наконец, появляется у них чувство искусства.

Примеры того, что чувство расстояния порождает художественное ощущение, бесконечны. Например, группа африканских женщин, пашущих поля на закате, их прямоту, изгибы… Каждое их движение, в глазах далекого Востока, чувство искусства занимает львиную долю. Вместо этого, их мужья просто считают, что свои жены работают в поле. Опять же, когда звезды шоу-бизнеса находятся перед массами, они полна красоты и сияния, и разумеется чувства искусства. А в присутствии их супругов, они только их жены или мужья, чувство искусства, боюсь, значительно ослабевает.

Оправдано ли существование внебрачной любви и подлежит ли она моральному суду – это вопросы, которые исследуют социологи, специалисты по этике и юристы. Но, по своей природе, воровство любви, скорее всего, является живым примером того, что расстояние производит чувство искусства. В реальной жизни, мы часто видим, что человек, у которого супруг красиво выглядит, также может пойти на интрижку.

Такого рода чувство, отделённое от нормальной жизни, является не более чем ощущением таинственности, удивлением даже иллюзией или целеустремленной ассоциацией, и, наконец, сублимировано в эмоции с оттенками искусства. Воровство любви, по сути, также является стремлением людей для удовлетворения их чувства искусства, даже если это иногда аморально. Некоторые говорят, что расстояние порождает красоту. Вообще-то, это утверждение не очень точно. Строго говоря, это должно быть так, что расстояние производит ощущение искусства.

Археологические артефакты оставляют нам ощущение, где субъективный артистизм занимает большую роль. Например, сосуд или инструмент, который был очень распространен в то время, а через сотен или даже тысяч лет расстояния во времени, естественно, создает чувство искусства. Оно, безусловно, было создано расстоянием во времени.

Теперь мы можем поговорить о том, похоже ли чувство, когда люди смотрят на работы фотосъемки, на искусство или нет.

Вопрос о том, является ли фотосъемка искусством, в долгое время был предметом споров. В частности фотография и живопись представляют собой плоскостные визуальные произведения – картинное изображение (визуальная плоскость). Люди склонны выносить следующие суждения с явными эмоциями: вы лишь только нажимаете на затвор фотокамеры и получается одна фотография, что это за искусство? Живопись, с другой стороны – это внимательное и творческое произведение, которое художник создает кистью и резьбовым ножом, и такую картину (визуальную плоскость) можно считать искусством.

Теперь давайте проанализируем инструменты и процесс фотосъемки.

Для фотографирования используются сложные инструменты, но фотоснимок может быть сделан в одно мгновение; Для живописи используются простые инструменты, но творчество должно пройти очень сложный процесс; Для получения одной фотографии просто нужно нажать на затвор фотокамеры, никакого навыка не требуется, а живопись нуждается в высоком мастерстве...На самом деле, такой стандарт суждения слишком жизненный и даже эмоциональный. Мы оцениваем, прежде всего, по различию: во-первых, фотоснимок – это не тот физический объект, который ее создал, она есть плоская визуальная работа, записанная фотографом на основе сиюминутного чувственного суждения. Опытные фотографы еще работают над диафрагмой, выдержкой, формированием формы света и т.д., таким образом, они могут делать снимки, отличающиеся от реальных пейзажей, которые видны невооруженным глазом, и соответственно различие между ними больше. Одна фраза хорошо говорит об этой разнице, «является ли человек фотогеничным?» Этот вопрос полностью отражает природу разницы между фотографией и физическим объектом, который либо выглядит лучше в фотографии, либо хуже, но все равно уже не то, что в реальности. Объектив фотокамеры записывает мир, который отличается от того, что видят глаза, а такая разница создает возможность появления чувства искусства.

Во-вторых, давайте проанализируемся с точки зрения расстояния. Например, нам представляется фотография Гималаев, и мы видим сфотографированный снимок Гималаев на расстоянии тысяч километров, пространственное расстояние велико; кроме того, это также запись изображения определенного момента, и дистанция

во времени также очевидно. Если мы вернемся в Гималаи с этой фотографией, то практически невозможно почувствовать их такими, как на фотографии, в лучшем случае считаем, что "это место немного похоже на фото".

Таким образом, если ценить по дифференциации и дистанции, которые порождают чувство искусства, то чувство искусства в работах фотосъемки, несомненно, существует. Что касается произведений других форм, таких, как литература, живопись, драма, танцы, кинематография и телевидение, архитектура... и т.д., тоже возможно использовать эти две характеристики, чтобы определить, носит ли художественный характер чувство человека при чтении, осмотре и прослушивании?

Два процесса художественного творчества

Рождение произведения искусства, как правило, проходит через два процесса обработки: физическая и культурная.

2.1 Процесс физической обработки является первым шагом в рождении произведения искусства

Что делает произведение произведением искусства, это то, что оно передается в физической форме. Музыка – передается через звуковые волны; изобразительные искусства, такие как живопись, фотография, исполнительские выступления – через световые волны (литературные работы также передают словесные коды через световые волны, которые затем переводятся в содержание), а кулинарное искусство передается через молекулярный контакт вкуса, можно видеть, что в основном задействован физический процесс, который также сопровождается химическим процессом.

До художественного творчества скульптура могла быть камнем или грудой глины; живопись – холстом, бумагой, кистью или тушью; литература – бумагой и ручкой (теперь компьютером); музыка – нотами и музыкальными инструментами; фотография – фотоаппаратом, объектом и светом; архитектура – строительными рабочими, строительной техникой и строительными материалами...

Проще говоря, процесс физической обработки – это процесс переработки и изготовления. Скульптор использует резьбовой нож, молоток и долото; художники – масла и кисти; музыканты – разные музыкальные инструменты; писатель и поэт – бумагу и ручку (сейчас

мобильный телефон или компьютер); фотограф – фотоаппарат; а архитектор дает строителям инструкцию в соответствии с чертежами... Таким образом, скульптура и картина завершены, роман и стихотворение написаны, музыка сыграна, фотографии сняты, здание построено, это означает, что физический процесс художественного творчества завершен.

2.2 Самостоятельная культурная обработка творца сопутствует процессу физической обработкой

Культурная обработка делится на два процесса: "предварительная обработка" и "пост-обработка".

Предварительная культурная обработка (также известная как эмоциональный процесс) всегда сопровождает физический процесс и является процессом, который творец делает самостоятельно. Художник часто имеет явный художественный мотив при работе, который сопровождает весь процесс творчества, что является процессом предварительной культурной обработки. С помощью данной культурной обработке художник может постоянно корректировать или сублимировать свое творение в ходе процесса физической обработки, в конечном итоге он может делать произведение либо ярким, мечтательным, либо гротескным, либо более художественным. Однако, эта предварительная культурная

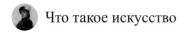

обработка творца часто бывает очень ограничена, и этот процесс заканчивается одновременно с процессом физической обработкой, поэтому ее эффект также ограничен.

Процесс культурной пост-обработки – это бесконечное представление и воображение людей по вещам, в частности, художественному произведению с различными целями, эмоциями и чувствами. Представление и воображение людей циркулируют непрерывно с помощью языковых инструментов. Этот процесс добавляет произведениям и вещам больше художественной жизненной силы и ценности, но такой добавление часто бывает не предвидено и непредсказуемо, оно даже может расшириться до бесконечной крайности.

2.3 Процесс культурной пост-обработки
не ограничивается самой работой и самим творцом

Хотя процесс культурной пост-обработки основан на личности, качестве и душевности работы, но он чаще всего начинается после рождения художественного произведения. Культурная пост-обработка – это настоящая культурная переработка, она очень сложна и никогда не прекратится, ее результаты часто далеки от первоначального замысла творца. Культурная пост-обработка представляет собой процесс бесконечной мечтательности или искусственного

манипулирования, процесс непрерывного усиления художественных эмоций, когда человек чувствует работу или вещь с помощью своего воображения, на основании личного опыта, различных целей, религиозных убеждений, национальной гордости, социального статуса, экономических интересов даже разграбления и войны...

Энергия процесса культурной пост-обработки огромна, даже до невероятной степени. Эффект культурной пост-обработки по художественным произведениям очевиден, например, картина «Подсолнухи» Ван Гога и «Диван-губы» Дали – это продукт культурной пост-обработки до крайности.

И со временем все больше и больше замечательных культурных обработок сделают эти работы еще более ценными. На самом деле, в тогдашнее время оценка Ван Гогом и Дали своих произведений никогда бы не была такой высокой, как сегодня. В то время эти работы, возможно, были очень обычны в их собственном воображении.

Однако исторические изменения, необычные социальные процессы, постоянная экспозиция и чувство нарочитой загадки, коммерческое рекламирование и внимание от поколения к поколению сделали культурную обработку этих произведений не только непрерывной, но и все более и более интенсивной, все более и более популярной. Это явление создатели этих произведений не предвидели, когда жили на белом свете. Исходя из этого, можно сказать, что такие работы, как «Подсолнухи» и «Диван-губы», являются совместными художественными произведениями Ван Гога, Дали с людьми, которые уделяют внимание на их работы во всем мире, потому что процесс культурной пост-обработки в таком огромном масштабе выполняется только поздними людьми.

Не только искусственно созданные произведения подлежит культурной пост-обработке, но и некоторые объекты природы или небытия. Например, камень на скале и древняя сосна после культурной обработки многих поколений могут проявить художественную жизненную силу и ценность.

Возьмем, к пример, сосну Ин Кэсун (сосна, приветствующая гостей) в горе Хуаншань (Желтая гора). Прежде всего, эта древняя сосна в горе Хуаншань изначально была обыкновенной сосной, не имея названия. Ее стали звать Ин Кэсун как раз является культурной пост-обработкой. Потому что с увеличением числа посетителей, каждый турист, фотограф, художник, который видел сосну, описывает особенности сосны своим воображением и чаще всего со своим эмоциональным подтекстом или с определенной целью. Затем все эти описания передаются языковым инструментом, что в свою очередь делает сосну Ин Кэсун все более необычной и уникальной. В итоге, одна обыкновенная сосна, которая вообще не имела диффиренциацию и чувства дистанции, стала отличаться от обычных сосен. Сегодня она уже наполняет людей художественным

ощущением и чувством.

На самом деле, легенда о Лю Саньцзе, легенда о Чанъэ в Лунном дворце и легенда о вершине Богини – все это, наверное, типичные примеры, когда объекты природы или небытия обрабатываются культурным методом, после которого они в результате приобретают чувства искусства.

Нужно особо отметить, что уникальность и неповторимость произведений живописи, скульптуры, архитектуры и т.д., которые невозможно копировать, могут привести к тому, что их культурная пост-обработка усиливается вместе с коммерческой операцией, и в конечном счете, возможно, что коммерческая операция направляет культурную обработанную в нужное ей направление, а в свою очередь, вторая дает коммерческой операции ту или иную самооправданную интерпретацию.

Такое явление «самостоятельная пара», возникающее в результате взаимодействия культурной переработки с коммерческой операцией, может сделать культурную обработку неостановимой до тех пор, пока существует рынок для данного вида произведения. Наоборот, таким произведениям, как литература, музыка (особенно композиция) повезло меньше, так как романы, стихи и ноты могут быть скопированы в любое время, не обладают образцовой уникальностью, соответственно они в определенной степени теряют ценность коммерческой операции.

Кто-то может спросить, не ценны ли рукописи литературных произведений и нот? Да, но художественная ценность этих рукописей лишь в той же степени, что и каллиграфия и живопись; они относительно отделены от ценности самих литературных и музыкальных произведений. Разницу между ним и самой работой можно увидеть в их названиях. Например, рукопись романа «Госпожа Бовари» Флобера, рукопись «В памяти забывчивости» Лу Синя... Эти рукописи являются отдельными от ценности самого произведения, и даже если они связаны с ценностью литературных и музыкальных произведений, то все равно слабо связаны.

В связи с этим, культурная пост-обработка литературных и музыкальных произведений намного сложнее, возможность коммерческой операции еще слабее, и феномена, когда культурная переработкой и коммерческая операцию создают «самостоятельную пару», уж так и не будет.

3

Два инструмента художественного творчества

Для художественного творчества требуются инструменты. В дополнение к инструментам в физическом смысле существует вид концептуальных инструментов на философском уровне. Условно разделим инструменты этого философского измерения на "бытовые" и "мастерские". Бытовые инструменты – это инструменты, которые люди могут использовать без профессиональной подготовки, например, использование иероглифов в письменной форме, использование автоматических фотокамер, использование тела в кинематографическом и телевизионном исполнении и т.д.; а мастерские инструменты – это инструменты, которые можно освоить только после строгой подготовки и обучения, например музыканты и композиторы используют музыкальные инструменты и ноты, вокалисты контролируют голосовые связки и дыхание, балерины, акробаты и художественные гимнасты тренируют физические движения, и т.д.. Мастерские инструменты характеризуются длительным периодом специализированной подготовки и инструктажем профессионалов, иначе как правило, человеку трудно понять и освоить самостоятельно.

Существуют некоторые инструменты, которые трудно определить как бытовые или мастерские, например, каллиграфические навыки, навыки пения народных и популярных песен и некоторые приемы художников... Поскольку навыки в этих областях иногда могут быть усвоены и применены с помощью личного осознанного понимания или изучения в течение длительного периода времени, но иногда также нуждаются в специализированном обучении и руководстве. В связи с этим, их сложно точно определить как бытовые или мастерские инструменты. Таким образом, художественное творчество использует разные инструменты, некоторые из них даже существенно отличаются друг от друга. Это является очень важным вопросом, заслуживающим серьезного и глубокого изучения.

3.1 Особенности художественного творчества с использованием бытовых инструментов

Например, писать. Сто или двести лет назад грамотными были очень немногие, и в то время письменность должна была попасть в категорию инструментов мастерства.

Однако теперь, когда люди в основном грамотны, литературное творчество должно полностью входить в категорию бытового инструмента. Поэтому современный мир – это эпоха, когда «писать как говорить, любой человек умеет». По сути, каждый может заниматься литературным творчеством, если у него есть намерение.

Факты говорят нам о том, что большинство писателей, независимо от того, сегодня они профессиональны или нет, в основном начинают писать как любители литературы, потому что они используют бытовой инструмент, который не создает высокую планку доступа и любой человек может свободно приступиться к работе. Когда начали писать, уровень появления вдохновения и накопления опытна определяет уровень работы, одни авторы создают великие произведения или даже литературные шедевры, а другие исчезают в заурядности.

С развитием технологий покупка цифрового фотоаппарата теперь очень проста, даже слегка устаревшей стала. Потому что довольно много смартфонов уже имеют отличные возможности фотографирования. Таким образом, несмотря на то, что фотосъемка – это искусство, но для творчества используется бытовой инструмент. Растущее удобство съемки с помощью смартфонов сделало инструменты для фотографирования все более повседневными.

Кинематографическое и телевизионное исполнение – это тем более искусство, созданное бытовым инструментом. Хотя в настоящее время существует множество драматических институтов, киношкол, где преподают разнообразные теоретические предметы, которые то так, то сяк объясняют и описывают так называемую теорию «МСБ» (т.е. теория театральных исполнений Мэй Ланьфана[1], Станиславского[2] и Брехта[3]). Но очевидно, что неправильно и даже ошибочно пытаться включить кинематографическое и телевизионное исполнительское искусство в сферу мастерского инструмента,

---

[1]   Мэй Ланьфан (1894-1961). Один из самых известных актеров Пекинской оперы благодаря уникальному интерпретации женской роли в исполнении мужского актера.

[2]   Станиславский Константин (1863-1938). Российский театральный актер, режиссер и педагог, создатель Станиславского метода и соучредитель МХАТ.

[3]   Брехт Бертольт (1898-1956). Немецкий драматург и поэт, создатель Эпического театра, по-другому называется Диалектическим театром.

используя эти идеи или доктрины как теории исполнения и представления, а также насильно внушая их студентам.

Строго говоря, система театрального исполнения «МСБ» – это лишь обобщение и изложение опыта. Опыт имеет только справочное значение, а не руководящее. Изначально актриса Шангуань Юньчжу[①] была помощницей в парикмахерской, а Чоу Юньфат[②], Шварценеггер и многие другие тоже не имели актерского образования и глубокого изучения системы «МСБ», но все они стали выдающимися артистами кинематографического исполнения.

Кинематографическое и телевизионное исполнение – это своеобразное творчество, которое максимально приближается к жизни и воплощает жизненные сцены. У каждого актера есть свой жизненные понимания и опыт, поэтому хоть одна и та же роль, но разные люди выполняют ее по разному. А как должна быть эта роль в сценарии на самом деле, у самого сценариста может и не быть четкого шаблона. Таким образом важно актеру, как творцу, самому понят и представить ее.

---

① Шангуань Юньчжу (1920-1968). Одна из самых талантливых и разносторонних актрис Китая в 1940-х и 50-х годах и считается одним из 100 самых лучших актеров китайского кино в 20-м веке.

② Чоу Юньфат (1955-). Один из самых известных международных кинозвезд Гонконга наряду с Брюсом Ли, Джеки Чан, Тони Люн и Мишель Йео.

Неточность этого ситуационного воспроизведения в силах придать работе дистанционное ощущение и дифференциальный характер, создавая у зрителей художественное чувство при осмотре. Кинематографическое и телевизионное исполнение Чаплина и Чжао Беньшаня[1] считается самым неточным воплощением жизненного сценария, но зрителям они очень понравились. Потому что в выступлениях Чаплин и Чжао Беньшань внимательно использовали бытовые инструменты и до крайности преувеличивали исполнение, не следуя теории «МСБ» и не пытаясь превратить бытовые инструменты в мастерские.

Творчество с помощью бытовых инструментов совсем не является легкой задачей. Успех работы во многом связан с талантом, одаренностью, сознательностью и трудолюбием творца. Человек, который талантлив, готов проводить постоянные эксперименты и способен подводить итоги, будет все более полон мастерства и навыков в использовании бытовых инструментов, и он может достичь многого в своем творчестве. А те, кто пытается сознательно мистифицировать художественное творчество с использованием бытовых инструментов, те, кто пытается превратить бытовых инструментов, а также те, кто хочет блокировать дорогу тем, который намерен творить с помощью бытовых инструментов, подвергают смеху и неудаче.

---

[1] Чжао Беньшань (1957-   ) . Китайский телеактер, комедийный актер, телережиссер и бизнесмен области искусства.

3.2 Творческие особенности
мастерских инструментов

Сочинение композиции, как и игра на инструменте – типичное музыкальное творчество с использованием мастерских инструментов. Музыканты и композиторы должны пройти обучение использованию инструментов в течение длительного времени, чтобы перешагнуть порог творчества. Такого рода инструментальный барьер между данными творцами и простыми людьми в свою очередь делает первых более загадочными. Простым людям очень трудно участвовать в художественном творчестве с использованием мастерского инструмента, поэтому они могут быть только чистыми потребителями или чувственными ценителями перед лицом этого вида искусства. К примеру, балетное искусство и определенные категории изобразительного искусства принадлежат категории искусства, созданного мастерским инструментом. Наслаждаясь их исполнением, широкая общественность может только судить о том, хорошо ли танцуют, хорошо ли исполняют, а остальные моменты искусства обычные люди оценивают по своему вкусу и предпочтению, или могут только пожимать плечами.

С ростом популярности компьютера, возможно, что некоторые виды творчества, которые изначально нуждались в инструментах мастерства, начинают использовать бытовой инструмент. Потому что компьютер сделал механический мастерский инструмент простым и повседневным для эксплуатации. Например, простой человек может на компьютере составить ноты, а также может запрограммировать музыкальное представление. Он даже может использовать видеокамеру, компьютер или просто мобильный телефон, чтобы выполнить замечательную кинематографическую работу.

Конечно, качество элементов работы такого рода еще не сравнимо с произведениями профессионального мастерского выполнения, но с развитием технологий эта проблема будет постепенно решаться. Поэтому популяризация художественного творчества и художенственная тенденция развития народной жизни вполне могут стать возможны.

Ключевые характеристики
произведений искусства

В любой работе есть те фундаментальные характеристики, которые делают его публично признано художественным произведением. Проще говоря, объект природы, статья, история, музыкальный отрывок, картина должны обладать теми изобразительными характеристиками, необходимыми для произведения искусства, чтобы быть лучшими.

4.1 Иллюзорность, преувеличенность
и обманчивость

Хорошее произведение искусства всега может завести людей в иллюзию. Когда люди видят горную вершину, похожую на красивую и стройную девицу, сразу рождается чувство искусства, и вершину стали назвать Вершиной Богини. Но на самом деле, по сути, это всего лишь горная вершина, а возникающее в результате девчачье ощущение – это полностью результат «иллюзии».

Например, в литературных описаниях "птицы приземляются на землю, как листья падают с веточки" и "листья падают на землю, как птицы приземляются" могут создать у людей художественное ощущение. А если мы контактируем это как "птицы приземляются, как птицы" и "листья падают, как листья", или просто прямо скажем "птицы приземляются на землю" и "листья падают на землю", то художественное ощущение будет значительно ослаблено.

Всегда существуют споры о том, является ли фотосъемка искусством. Одна причина дискуссии заключается в том, что фотография слишком точна и не может создать у людей сильную иллюзию. На самом деле люди высоко оценивают фотографии с изображением, сильно отличающегося от реальных пейзажей. Все это продиктовано тем, что у искусства должен быть характер иллюзорности. На самом деле, почти все сцены в фильме не встречаются в жизни, например, любовные сюжеты и военные картины в фильме подлежат большой иллюзорной переработке, но в то же время позволяют зрителям считать, что эти сцены такие же, как в настоящей реальности. Во время Второй мировой войны были многие ожесточенные и кровавые битвы, но ни в коем случае не было такого сражения, как в фильме "Спасение рядового Райана".

Если бы военные эпизоды фильма "Спасение рядового Райана" были воплощены полностью в соответствии с реальностью, то, наверное, не было бы зрителя, которому захотелось бы посмотреть. Ощущение людей по искусству всегда находится в состоянии парадокса, с одной стороны, предпочитают видеть работы, которые дают им иллюзию, преувеличенное чувство, даже могут незаметно их обмануть, а с другой стороны, эмоционально резонируют или трогаются, как будто бы, то что они видят является реальным. Это важный закон духовных поисков людей, полный процесс развития таков: стимуляция – ассоциация – возвращение в реальность – стимуляция – снова ассоциация.

В реалии Мона Лиза может быть женщиной настолько простой, что она не может быть более простой. Но она под кистью Леонардо да Винчи была где-то за туманом, полна иллюзий и преувеличения, характер обмана картины очевиден. Таким образом, картина «Мона Лиза» покорила всех людей в мире. Овладев этим законом, художественное творчество не сойдет с правильного русла, реалистические произведения нельзя приравнивать к реальности, а абстракционистские произведения должны иметь конкретное образное отражение, иначе эти произведения искусства потеряли бы свою жизненные силы.

На самом деле, утверждение о том, что «искусство рождается в жизни и находится над жизнью», не является достаточно

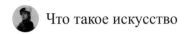

точным. Можно только сказать: "Некоторое искусство вытекает из жизни, но превосходное искусство всегда тонко отличается от жизни, не оставляя следа", потому что только так оно совпадает с эмоциональным изменением людей, когда они ценят искусство. А стоит ли оно над жизнью, нужно ли быть обязательно над жизнью, это уже выходит из рамки сферы искусства.

В связи с вышеуказанным, произведение искусства или вещи, которые дают людям художественное ощущение, должны обладать иллюзорностью, преувеличенностью и обманчивостью.

4.2 Преднамеренная неточность и тонкость между «реальностью» и «нереальностью»

Высочайшее состояние художественного творчества – это преднамеренная неточность, оно как раз находится между «реальностью» и «нереальностью», если творец может обосновываться на реальности, при этом придать работе свет и сияние нереальности с помощью мастерства, вдохновения и мудрости. Если он теряет основу «реальности», тогда «нереальность» будет отражать его низко уровненные художественные способности.

Когда художник способен полностью сохранить «реальность», то созданная им «нереальность» является его стремлением к максимальной дифференциации и чувству дистанции,

данная преднамеренная неточность приносит более высокую художественную ценность произведению. Картина «Подсолнухи» Ван Гога как раз представляет собой яркий пример. Глядя на эту работу Ван Гога, в первую очередь, все знают, что Ван Гог рисовал подсолнухи, было бы ужасно, если бы сделали вывод, что видели кукурузные лепешки.

Опять же, люди тоже заметили, что такие подсолнухи никогда не встречали в жизни, они более выразительны и красивы, чем реальные подсолнухи. Преднамеренная неточность придает работе больше художественной жизненной силы. Конечно, такая неточность должна быть контролируемой, и художник способен с легкостью ее выразить.

Давайте возьмем другой распространенный пример. Художник уделяет большое внимание перспективному эффекту при рисовании. Если художник точно соблюдает оптическую перспективу, подобную фотокамере (т.е. физическую перспективу), изображение может выглядеть неоживленным. В этот момент художник с высоким уровнем художественного мастерства будет взвесить соотношение физической и эмоциональной перспективами. Эмоциональная перспектива неточна, даже совсем неправильна, когда работа измеряется физической перспективой. Но именно умное и тонкое использование эмоциональной перспективы художником выделяет главную тематику работы и значительно усиливает чувство

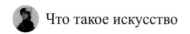

искусства. Таким образом преднамеренная неточность отражается в художественном творчестве.

Акустики рассказывают, что красивый и поразительный эффект симфонии исходит из контролируемой неточности каждого музыкального инструмента. Если каждый инструмент звучит одинаково, то при игре возникает сильный звуковой резонанс, который может сделать звуковой эффект резким и ужасным.

Все вышесказанное представляет собой основные характеристики, которые необходимы для успешного произведения искусства, этими характеристиками является иллюзорность, преувеличенность и обманчивость; преднамеренная неточность, а также тонкость между «реальностью» и «нереальностью».

Заключение

Появление интернета сделает многие виды искусства легко доступными. Произведения литературы, живописи и музыки, а также видеоролики могут быть выложены на интернет и оценены практически во всем мире. В то же время, люди могут получать знания и даже навыки в интернете, а обмен художественными и творческими взглядами также упрощается с помощью интернета. По мере непрерывного развития технологий, все больше и больше мастерских инструментов будут трансформироваться в бытовые, а крайняя удобная передача информации позволяет культурной пост-обработке искусства стать беспрецедентно активной, чем когда-либо, ценовые перепады на живописные произведения в последние годы как раз доказывают этот вопрос.

Наступление эпохи популяризации интернета приведет к изменению образа жизни, эмоции, а также ценочной ориентации людей в связи с тем, что форма коммуникации изменилась, подход

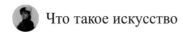

к вопросам и способ их решения тоже изменились, в результате небывалые изменения будут происходить в восприятии и познании людьми искусства, средств его творчества, формы художественного представления и его оценочной системы.

Так что не зря назвать эпоху интернета эпохой нового искусства. В грядущем будущем мире «что такое искусство» станет вопросом здравого смысла в повседневной жизни людей.

Девочка с персиками

В.А. Серов

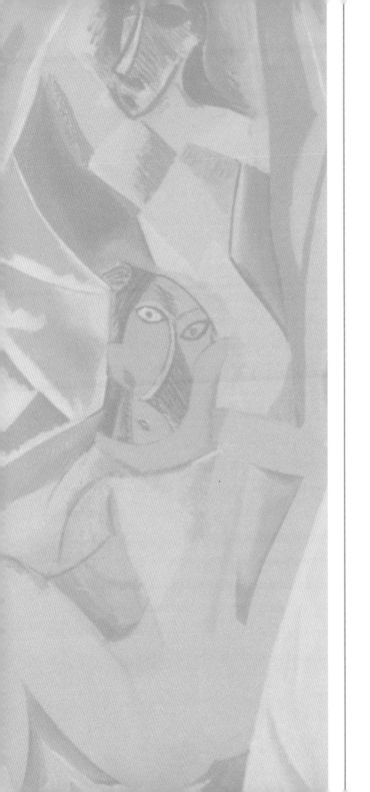

7

西文版

Qué es el arte

牛 玲 译

Basado en las características esenciales del arte, el presente trabajo estudia a nivel filosófico el sentimiento del arte, la ley de la creación artística y la tendencia en la apreciación del arte por el público. En este sentido, se analizan las condiciones de formación del sentimiento artístico, clasificando el proceso de creación artística junto con las herramientas que lo componen y examinando las principales características de las obras artísticas desde una perspectiva única.

El libro trata de dar respuesta a nivel filosófico a la pregunta de "qué es el arte" y por lo tanto se proponen una serie de nuevos conceptos y métodos de investigación artística, lo que supone un progreso para la comprensión del arte y la creación artística.

En este libro, muchos de los puntos de vista que se exponen son originales del autor, una gran parte de los cuales han sido presentados por el autor en sus discursos pronunciados en varias universidades de todo el mundo. Estas perspectivas innovadoras y únicas han despertado un gran interés entre los expertos del círculo de la teoría literaria.

Esta obra trata de resolver un problema constante en las investigaciones literarias y artísticas: la desunión del marco de referencia y de los métodos de estudios tanto literarios como artísticos. En este aspecto, el presente trabajo indudablemente tiene un valor académico importante.

Publicamos en este momento esta obra en ocho idiomas en forma de monografías, para servir de referencia a los investigadores y entusiastas de la teoría literaria en todo el mundo. Además, parte del contenido también tiene un valor considerable como orientación para los creadores de arte o los profesionales de la industria cultural.

Siendo una monografía, el presente libro pretende aclarar diversas opiniones de forma concisa. Sin embargo, a pesar del reducido volumen de palabras, ha logrado esclarecer los distintos puntos de vista y descifrar numerosas cuestiones dudosas. De modo que, creemos que tampoco es necesaria una redacción inmensa.

Nie Shengzhe

Octubre de 2020

Salón Gaihua de la Ciudad de Suzhou

ÍNDICE

¿Qué es el arte? ¿En qué consiste? Son dos maneras de expresar la misma pregunta, y en esencia es tratar de definir la diferencia entre el arte y el no arte. Durante muchos años, la gente ha intentado definir claramente el alcance y los límites del arte, para tener un juicio muy intuitivo de lo que es arte y de lo que se considera arte, al igual que diferenciamos entre agua y fuego o distinguimos el blanco del negro. Desafortunadamente, como consecuencia de los cambios dinámicos en la forma de expresión y las definiciones de las numerosas categorías del arte, las personas con mucha frecuencia únicamente juzgan según sus conocimientos sensoriales, e incluso, en muchos casos, la definen repitiendo opiniones de los otros.

Sin una definición precisa y ampliamente aceptada sobre el arte, nuestra creación artística, investigación académica, modelos de pensamiento, presentación cultural, nivel de cultivo e incluso integridad moral se verán gravemente afectados. La experiencia histórica nos dice que esta influencia es enorme y que el progreso de la civilización social humana posiblemente también se verá frustrado o estancado.

De hecho, el concepto del arte proviene de la definición del sentimiento artístico, que es una cuestión de transitar del nivel fisiológico al nivel filosófico. El sentimiento artístico surge de un proceso dinámico

218

de comprensión del mundo, que frecuentemente conduce a un cambio gradual sensorial de la percepción del arte, provocando que la definición de arte sea progresivamente secular, y se desvíe de la esencia de la filosofía. De esta manera, el significado de la definición de arte a nivel filosófico al final se queda perdido. Por lo tanto, actualmente no hay un estándar ni un sistema de referencia universalmente reconocido para definir el arte.

En términos generales, una sensación artística se genera inicialmente en la aparición repentina de nuevos elementos en varios estados de vida no comunes. Los sentimientos de la gente se estimulan, lo cual suele comenzar por unas situaciones inesperadas. Sin embargo, cualquier estimulación se quedará entumecida después de un cierto período de tiempo. Esta es una ley objetiva general. No obstante, a medida que más y más personas se vean estimuladas por el mismo elemento, la colectividad entumecida vuelve a despertarse gradualmente y se siente activada de nuevo, y se adormece progresivamente después de esa reanimación. La gente generaliza este proceso cíclico con conclusiones, las cuales provienen primero del sentimiento, seguidas de la inducción emocional, y que tras la utilización de las herramientas del lenguaje llegan a ser definiciones abstractas y generales, y de esta manera, se extienden sucesivamente.

Al estudiar la temática de qué es el arte, hay que aclarar cuatro preguntas, las cuales son: 1. el sentimiento artístico; 2. el proceso de la creación artística; 3. las herramientas de la creación artística; 4. las características específicas de las obras artísticas.

Dos condiciones externas para la generación del sentimiento artístico

1.1 El sentimiento artístico proviene de la diferencia: la frescura es su estado primario

Podemos imaginar que el sentimiento artístico original de los seres humanos primitivos puede haberse generado en la primera hoja utilizada para avergonzar o de una persona con un aullido rítmico y agradable. Porque frente a las personas primitivas acostumbradas a la desnudez y los bramidos desalentadores, la primera hoja apareció de repente y su impacto fue obvio; a pesar de que el primer aullido rítmico fue dulce, lo que más dejó a sus oyentes era un sentimiento de novedad y sorpresa. Cuando unas pocas personas empezaron a usar hojas para cubrir su cuerpo desnudo surgió la diferencia. Esta diferencia es un estado nuevo, y de allí viene la desigualdad energética. Para eliminar esta disparidad, hay que realizar una

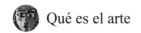

transición energética, lo cual requiere tiempo, sabiduría, coraje e incluso habilidad.

Por lo tanto, el sentimiento artístico proviene primero de las diferencias. Por ejemplo, cuando suelen aparecer imágenes de color, el blanco y negro son considerados arte y viceversa: los colores en el mundo del blanco y negro de igual forma pueden considerarse como arte. Otro ejemplo, en el mar azul, la apariencia de una vela blanca nos puede producir una sensación artística; una figura azul en el vasto campo de nieve también nos causa una sensación a nivel artístico. Y otro ejemplo de ello sería, una persona que vive permanentemente en las grandes ciudades y que viaja por primera vez a una montaña con hermosos paisajes, su sentimiento en este momento es artístico y viceversa: un montañista que solo ha vivido en la cima de las montañas y que nunca ha salido del campo llega a una metrópoli por primera vez, su sentimiento es emocional, una sensación artística muy nebulosa. Estos ejemplos ilustran completamente que, aunque los sujetos que producen estas escenas no son necesariamente artísticos o motivados por la creación artística, los efectos son completamente artísticos.

Esta regla también se comprueba con los ejemplos del canto de las alondras y en la apertura de los pavos reales. La apertura de los pavos reales es una acción pura de cortejo y el cantar de las alondras puede ser por cortejo o aburrimiento, ninguno de estos casos son creaciones artísticas. Sin embargo, a ojos de las personas románticas, los sentimientos

producidos por estos fenómenos pertenecerían al arte.

El sentimiento del arte proviene de las diferencias. Esto se debe a que la diferencia conduce a una sensación de frescura, que constituye la etapa inicial del sentimiento del arte, y también la indispensable e insuperable. El sentimiento del arte no es estático, y a medida que pase el tiempo, muchos sentimientos artísticos causados por ilusiones erróneas se quedarán abandonados. Algunos se desvanecerán lentamente cuando se vuelvan comunes, solo los que no paran de estimularse permanecerán en el recuerdo colectivo de la gente durante mucho tiempo. Al ser repetidos y transmitidos varias veces, llegan a ser descritos por las herramientas de lenguaje, desde aquí, adquieren el reconocimiento como un tipo de sentimiento artístico. Ponemos un ejemplo, a la primera persona que pintaba, la primera que cantaba y la primera que esculpía escultura, no se les podía denominar como artistas en ese momento, sin embargo, más tarde fueron considerados como pintores, cantantes y escultores, porque estas diferencias con la vida cotidiana creadas por ellos causaban estimulaciones que condujeron a un largo de comprensión, resumen, duda, re-reconocimiento y finalmente un consenso.

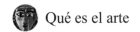 Qué es el arte

1.2 El sentimiento artístico proviene de la distancia: la sensación misteriosa es una fuente importante

La distancia, sea la espacial o la temporal, es un concepto físico. Desde una perspectiva filosófica, la distancia es a veces una condición distintiva, aunque esta diferencia a veces sea causada por ilusiones. Debido a esta característica específica, la distancia juega un papel vital en el proceso del sentimiento artístico.

Para ilustrar este efecto, veamos primero un ejemplo del sentimiento artístico de un cuerpo celeste.

En las noches otoñales con brisa nocturna, a veces se ve la luna llena en el cielo, y a veces las estrellas que brillan intermitentemente. Las personas que viven en la tierra, desde la primera vez que contemplan las estrellas o la luna, el placer llena su corazón. Este hermoso paisaje del cielo nos deja un sentimiento esencialmente artístico. Aunque a los ojos de los astrónomos y astrofísicos, estos planetas misteriosos que irradian las luces hermosas fundamentalmente son esferas heladas o ardientes, de hecho, una gran cantidad de tierra, rocas o aire, que se formaron naturalmente y que están a una distancia remota. Sin embargo, la impresión que dejan a la gente es absolutamente artística, y la sensación que causan es definitivamente artística. Merece la pena indicar

que, estos sujetos no tienen necesariamente características artísticas o motivos de creación artística, pero los efectos producidos por ellos son completamente artísticos.

Esto se debe a que la sensación de distancia conduce a una sensación de misterio (debido a una falta de comprensión profunda), lo cual habitualmente es un sentimiento confuso al principio, puede ser una impresión hermosa, y a veces va acompañada de unas ilusiones, que hace que las personas vean lo inusual de la vida cotidiana, generando una sensación de diferencia y estimulando el placer, que finalmente, dan lugar a un sentimiento artístico.

Existen numerosos ejemplos de la sensación de distancia que produce un sentimiento artístico. Por ejemplo: en la puesta de sol un grupo de mujeres africanas están arando en el campo, la posición que mantienen al estar de pie, la inclinación corporal, sus caderas, sus pechos, todo ello junto con sus acciones, a ojos de los orientales que se encuentran lejanos del continente africano conlleva generalmente un sentimiento artístico. No obstante, desde la perspectiva de sus esposos, esta vista constituye una escena nada excepcional de sus mujeres trabajando en el campo. Otro ejemplo de ello, serían las estrellas que sobresalen en su profesión, especialmente en el mundo del espectáculo y el extraordinario sentimiento artístico que provocan ante el público al comparar con la visión que puede tener su pareja, donde este sentimiento artístico puede verse muy reducido.

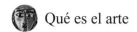
Qué es el arte

Si la existencia del amor extramarital es razonable, o, mejor dicho, si el engaño está sujeto al juicio moral, eso es una cuestión que debería ser discutida por los sociólogos, éticos y juristas. Sin embargo, en lo que respecta a la naturaleza del engaño, constituiría un ejemplo vivo de que la vida en la que la distancia crea un sentimiento artístico. En realidad, podemos ver frecuentemente que alguien con una pareja hermosa también puede engañar. Creemos que este es un estado donde la distancia produce un sentimiento artístico en la vida real. Esta sensación, causada por la distancia, al principio no es más que una sensación de misterio, de sorpresa, incluso de ilusión o de una imaginación, y que finalmente se sublima al sentimiento del arte. Pensamos que este tipo de aventura es esencialmente un tipo de búsqueda de satisfacción al sentimiento del arte, aunque esta persecución es a veces inmoral. Algunas personas dicen que la distancia produce la belleza. De hecho, esta afirmación no es muy precisa. Estrictamente hablando, debería ser que la distancia produce el sentimiento artístico.

En cuanto a las sensaciones que nos causan las antigüedades, podemos decir que el arte subjetivo constituye una gran parte. Un recipiente o una herramienta muy común y corriente en ese momento, con una distancia de cientos de años, o incluso miles de años, producirá naturalmente un sentimiento artístico.

Ahora podemos discutir si el sentimiento que se genera al contemplar la fotografía es artístico o no.

Durante mucho tiempo, la pregunta de que si la fotografía es un arte o no ha sido un objeto de debate. Igual que las pinturas, la fotografía son imágenes visuales bidimensionales (plano visual). La gente suele aplicar justificaciones simples y llega a la siguiente conclusión: con un simple clic en el obturador de la cámara, y sale una foto, ¿qué tipo de arte es este? No obstante, las pinturas son obras creadas por los pintores con un bolígrafo o un cuchillo, que cuesta una serie de procesiones muy elaboradas, y solo un dibujo así (plano visual) puede llamarse el arte.

Así que ahora analicemos los procesos y herramientas de la fotografía.

En la fotografía suele usarse herramientas complejas y se puede completar en un instante; y la pintura, herramientas simples y requiere una creación muy complicada. La fotografía solo necesita presionar el obturador, sin requerir habilidad, y la pintura, tiene una demanda de habilidades excelentes. De hecho, este criterio de juicio es demasiado simplista, e incluso emocional. Pensemos en la diferencia. En primer lugar, una foto no es igual al objeto real que refleja ella. Es un trabajo visual plano producido por un fotógrafo basando en sus sentimientos en un momento determinado. Los fotógrafos experimentados también diseñarán diferentes métodos de usar la apertura, obturador, modelado de luz, etc., para que sus fotos se distingan del paisaje real que el ojo humano puede ver, es decir, buscan una mayor diferencia. En nuestra vida cotidiana solemos usar la frase de si una persona es fotogénica o no al

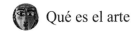

tomarse una foto, este comentario refleja completamente la naturaleza de la diferencia entre el trabajo fotográfico y la realidad: sea fotogénico o no, la persona en la foto ya no es esta misma persona en realidad. El mundo registrado por la lente es distinto de lo que ven los ojos, y la diferencia entre ellos conduce a la posibilidad de un sentimiento artístico.

En segundo lugar, analizamos esta pregunta desde el punto de vista de la distancia. Por ejemplo, se nos presenta una foto del Himalaya. Lo que vemos es una foto del Himalaya que queda a decenas de miles de millas de distancia: la distancia espacial es muy inmensa; por otro lado, constituye una grabación de una imagen de cierto momento determinado: la distancia temporal también es obvia. Si vamos al Himalaya con esta foto intentando encontrar la misma sensación en la foto, es casi imposible, a lo sumo solo podemos llegar a tener la sensación de "este lugar me suena".

Por lo tanto, si juzgamos a partir de las dos características de la diferencia y la distancia, el sentimiento artístico de la fotografía obviamente existe. En cuanto a otras formas de obras, tales como literatura, pintura, teatro, danza, cine y televisión, arquitectura, y demás, al leer, mirar y escucharlos, siempre podemos aplicar estos dos estándares para determinar si son sentimientos artísticos.

Dos procesos de creación artística

El nacimiento de una obra de arte generalmente pasa por dos procesos, a saber, el procesamiento físico y el procesamiento cultural (emocional).

2.1 El proceso de procesamiento físico es el primer paso en el nacimiento del arte

La razón por la que cualquier obra de arte se convierte en una obra de arte es por su difusión en forma física. La música se transmite a través de las ondas sonoras; de la misma manera que las artes visuales como la pintura, la fotografía, el modelado y el rendimiento se trasladan a través de las ondas de luz (la literatura también transfiere el código a través de las ondas de luz y luego se transforma en el contenido), y el arte culinario se hace llegar a través del contacto molecular con el gusto, un proceso principalmente físico acompañado de un proceso químico extendido.

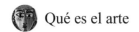 Qué es el arte

Antes de la creación artística, una escultura puede ser una sencilla piedra o una pila de arcilla plástica; de la misma forma que una pintura puede ser lienzo, papel, pincel o tinta; una obra de literatura puede ser papel y bolígrafo (ahora bastaría con una computadora); del mismo modo ocurre con una pieza de música que inicialmente son simplemente las notas e instrumentos musicales; al igual que en un trabajo fotográfico son necesarios la cámara, los objetos y la luz; y del mismo modo en una obra arquitectónica se requieren obreros, la maquinaria y los materiales de construcción.

El procesamiento físico es simplemente un proceso de desarrollo y fabricación. Los escultores usan cuchillos de trinchar, martillos y cinceles; los pintores usan tinta y pinceles; los músicos usan diversos instrumentos musicales; los escritores y poetas usan papel y bolígrafos (ahora usan sus móviles u ordenadores); los fotógrafos usan cámaras; los arquitectos usan planos de construcción para dirigir sus obreros, etc. De esta forma, se completan las obras de escultura y de pintura, se escriben los poemas y novelas, se reproduce la música, se presentan las fotos y se construyen los edificios, lo cual significa que el proceso físico de la creación artística se ha terminado.

2.2 El propio procesamiento cultural del creador irá acompañado del procesamiento físico

El procesamiento cultural se divide en dos procesos: el procesamiento previo y el procesamiento posterior.

El procesamiento cultural previo (también llamado el procesamiento emocional), siempre va acompañado del procesamiento físico, y es un proceso que el creador completa por sí mismo. Al realizar una creación, un artista a menudo tiene un motivo artístico claro que va acompañando todo su proceso de creación, y pensamos que este motivo constituye el procesamiento previo cultural, el cual permitirá al artista revisar o sublimar continuamente su creación durante el procesamiento físico y finalmente realizar una obra lo más artística posible: o extremadamente viva, o llena de imaginación, o sumamente grotesca. Sin embargo, este tipo de procesamiento cultural previo completado por el propio creador suele tener grandes restricciones: se terminará con la finalización del procesamiento físico de modo que su efecto es muy limitado.

El procesamiento cultural posterior es un proceso en el que las personas llevan diversos propósitos, emociones y una imaginación infinita hacia un objeto, propagando esta imaginación a través de las herramientas del lenguaje, y de esta manera, repitiendo indefinidamente este mismo proceso artístico. Creemos que el procesamiento posterior cultural agrega

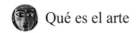

más valor y vida artística a los objetos, y este tipo de adición suele ser difícil de predecir, e incluso puede llegar a una expansión infinita.

2.3 El procesamiento cultural posterior está libre del trabajo y del creador

A pesar de que el procesamiento cultural posterior se basa en la personalidad, la calidad y el alma del trabajo, se inicia solo después de que termine el trabajo. Se trata de un procesamiento cultural real, un proceso muy complicado que nunca se detiene y cuyo resultado a menudo se quedará lejos de la intención original del creador. Este desarrollo cultural posterior es la sensación de un receptor de una obra artística, basada en su imaginación, experiencia personal, objetivos, creencias religiosas, orgullo nacional, estatus social, intereses económicos, saqueos de guerra y demás, se amplifican continuamente con una operación artificial de emociones artísticas. La energía de este proceso es enorme e inimaginable.

El efecto de la evolución cultural posterior sobre las obras de arte es muy obvio, por ejemplo, *Los girasoles* de van Gogh y *Mae West Lips Sofa* de Salvador Dalí, todos son productos de este mismo proceso. Además, con el paso del tiempo, el procesamiento cultural puede convertirse cada vez más fascinante haciendo estas obras aún más valiosas. De hecho, en ese momento, creemos que la autoevaluación de van Gogh y de Salvador Dalí sobre sus propias obras nunca fue tan alta como la de hoy

en día en la sociedad. A sus ojos, estas obras podrían ser muy comunes y corrientes, e incluso puede que tuvieran miedo de que otras personas puedan reírse de ellas. Sin embargo, los cambios históricos, la historia social especial, las exposiciones constantes y las operaciones comerciales que intentaban crear una sensación misteriosa deliberada, captaron la atención del público de generación en generación, lo cual ha hecho que el procesamiento posterior cultural de estas obras sea ininterrumpido y cada día más próspero. Consideramos que este fenómeno fue inesperado por los propios creadores de estas obras. Por lo tanto, a este nivel, estos grandes trabajos, tales como *Los girasoles* y *Mae West Lips Sofa*, fueron creados por van Gogh, Salvador Dalí junto con sus seguidores posteriores en todo el mundo, porque este enorme procesamiento posterior cultural fue completado por las generaciones siguientes.

No solo las obras creadas artificialmente tendrán un procesamiento cultural posterior, sino que algunos objetos naturales también pueden ser desarrollados por la cultura. Por ejemplo, una roca en la montaña y un pino antiguo pueden mostrar cierto valor y vida artística después de la transformación cultural por diferentes generaciones de gente.

Tomamos el Pino de Bienvenida de la montaña Huangshan como ejemplo. Originalmente, este antiguo pino era simplemente un árbol como cualquier otro que carecía de denominación. Su nombramiento del Pino de Bienvenida constituye en sí mismo una evolución cultural posterior. Con el creciente número de visitantes, cada turista, fotógrafo o pintor

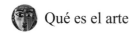

que ha contemplado su presencia se pone a describir las características de este pino con su propia imaginación. Al final, con esta descripción, que frecuentemente es subjetiva, el Pino de Bienvenida se vuelve cada vez más especial, convirtiéndose de un árbol común y corriente en un símbolo emblemático de la montaña Huangshan. Hoy en día, el Pino de Bienvenida atrae hacia sus espectadores una experiencia artística excelente. De hecho, la interpretación sobre las formas de las montañas relacionándolas con las famosas leyendas de la cantante Liu Sanjie, de la diosa de luna Chang'e y del Pico de Diosa, serían ejemplos magníficos del procesamiento cultural de los objetos naturales o nihilistas convirtiéndolos en obras artísticas.

Merece la pena destacar que, las obras no replicables, tales como pinturas, esculturas y arquitecturas, son objetos con singularidad, y conducirán a una evolución cultural posterior incesable mediante las operaciones comerciales. Al final, puede ser que las operaciones comerciales terminen motivando un desarrollo cultural posterior, mientras que el último aporta una u otra interpretación a las propias operaciones comerciales. Este fenómeno "autotransformador" del proceso cultural y de intercambio comercial hará que el procesamiento cultural posterior sobre este tipo de obras artísticas sea imparable, siempre y cuando exista su mercado. Por contra, la literatura, la música (especialmente la composición) y otras obras no tienen tanta suerte, dado que al comparar con otras obras artísticas, las novelas, los poemas y las partituras pueden duplicarse en cualquier momento y esa ausencia de la singularidad de

la muestra ejemplar en algún sentido implica la pérdida de valor en las operaciones comerciales.

Algunas personas quizás se preguntan, ¿no son valiosos esos manuscritos de las obras literarias y de partitura? La repuesta es que sí, pero su valor artístico solo constituye el mérito de la caligrafía y la pintura, que se encuentra relativamente separado del valor de la literatura y de la música. Se puede ver este valor distintivo por las maneras de nombrarlos: por ejemplo, el manuscrito de *Madame Bovary* de Gustave Flaubert, el manuscrito de *Conmemoración del olvido* de Lu Xun, entre otros, todos ellos solo tienen cierta importancia por ser manuscritos, y se encuentran independientes o conectados débilmente con el valor de estas obras artísticas de literatura o música en sí mismas.

Por eso, consideramos que el procesamiento cultural posterior de obras literarias y musicales, es mucho más complejo al presentar una viabilidad de intervención comercial débil, por no hablar de una promoción de "autotransformador" entre el procesamiento cultural y las maniobras comerciales.

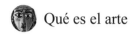

3

Dos herramientas para la creación artística

La creación artística requiere instrumentos. Además de aparatos físicos, también necesita herramientas conceptuales a nivel filosófico, de las cuales proponemos una división en dos subcategorías: "las diarias" y "las de habilidad". Pensamos que las herramientas diarias se pueden dominar sin demasiada formación profesional, tales como el uso del texto escrito en literatura, las cámaras automáticas de fotografía, el movimiento del cuerpo en espectáculos de cine y de televisión, etc. Las herramientas de hablidad, al contrario, requieren un entrenamiento estricto, tales como el dominio del compositor sobre los instrumentos musicales y la partitura, el control del cantante sobre las cuerdas vocales bielorrusas y la respiración, la concordancia corporal de los bailarines de ballet, acróbatas y deportistas de gimnasia rítmica, etc. Una característica relevante de las herramientas de habilidad consiste en que habitualmente se logran a través de un período largo de entrenamiento especial y orientación profesional, y

es muy difícil obtenerlo por la propia cuenta de un individuo.

Algunas herramientas son difíciles de definir si son diarias o de habilidad, tales como la caligrafía, las canciones populares, ciertos métodos de bellas artes ya que las habilidades en estos campos a veces se pueden conseguir a través del talento personal o por un determinado período de tiempo reflexionando y comprendiendo. Sin embargo, para manejarlas a la perfección igual se requieren formación y orientación especiales, de modo que no es fácil definir y verbalizar el concepto como una herramienta diaria o una herramienta de habilidad. En resumen, es el mismo concepto de la creación artística, se utilizan distintas herramientas, que a veces son diferentes esencialmente, y lo consideramos un tema muy importante que merece una investigación seria y profunda.

3.1 Características creativas de las herramientas diarias

Tomamos como ejemplo escribir. Hace unos cientos de años, había muy pocas personas que sabían leer o escribir, por eso, la escritura en aquella época debería incluirse en la categoría de herramientas de habilidad. Desde luego que hoy en día las personas generalmente son alfabetizadas, y de esta manera, la creación literaria ya pertenece completamente a la categoría de herramientas diarias. Creemos que ahora

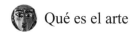

estamos en una era de "escribir es como hablar, y cualquier persona lo sabe", y con cierta autoconfianza, cada uno puede participar en la creación literaria. Los hechos reales nos dicen que la mayoría de los escritores, independientemente de si son profesionales o no ahora, han comenzado siendo simples aficionados. Eso se debe a que las herramientas diarias tienen un umbral no muy alto, y cualquiera persona puede usarlas con toda libertad. Sin embargo, después de cruzar el umbral, con un cierto nivel de inspiración y conocimiento de creación constante, algunos autores han logrado realizar trabajos excelentes e incluso obras clásicas que han perdurado, mientras que los demás han desaparecido en la mediocridad.

Con el desarrollo de la tecnología, hoy en día es muy común el uso de las cámaras digitales, e incluso muchos teléfonos móviles ya disponen de unas capacidades excelentes para sacar fotos. Por eso, aunque la fotografía es un arte, se está utilizando como herramienta cotidiana, y creemos que eso se debe a la mejora continua de las funciones fotográficas de los teléfonos móviles, que hace las utilidades de la fotografía cada vez sean más habituales.

Las representaciones cinematográficas también constituyen un arte que realiza con herramientas diarias. Aunque en muchas escuelas de teatro y de cine, se han establecido numerosas asignaturas teóricas enseñando el llamado sistema "MSB" (es decir, la teoría de actuación teatral de Mei

Lanfang [1], Konstantin Stanislavski[2] y Bertolt Brecht[3]), pensamos que es una práctica incorrecta inculcar a la fuerza estas ideas o doctrinas como teorías de actuación a los estudiantes e incluir el arte cinematográfica en la categoría de herramientas de hablidad. Estrictamente hablando, el llamado sistema "MSB" solo se limita a un resumen de unas experiencias de valor informativo, pero nunca instructivo. La gran actriz china Shangguan Yunzhu[4] era originalmente una asistente de barbería, Chow Yun-fat[5] y Arnold Schwarzenegger tampoco habían realizado ninguna formación de interpretación o investigación profunda del sistema "MSB", pero todos se han convertido en estrellas cinematográficas sobresalientes.

La interpretación cinematográfica es un tipo de creación que reproduce las escenas cotidianas. Cada uno de los actores tiene su propia experiencia de vida, y lógicamente los roles que interpreta en el cine

[1]   Mei Lanfang (1894-1961), fue uno de los artistas más famosos de la Ópera de Pekín en la historia moderna, debido a su interpretación de los personajes femeninos interpretados por actores varones.

[2]   Konstantin Stanislavski (1863-1938) , fue actor, director escénico y pedagogo teatral ruso, creador del método interpretativo Stanislavski y cofundador del Teatro de Arte de Moscú.

[3]   Bertolt Brecht (1898-1956), fue dramaturgo y poeta alemán, creador del teatro épico, también llamado teatro dialéctico.

[4]   Shangguan Yunzhu (1920-1968), una de las actrices más talentosas y versátiles de China en los años cuarenta y cincuenta, fue considerada una de los cien mejores actores del siglo XX del cine chino.

[5]   Chow Yun-fat (1955-), es uno de los actores más conocidos internacionalmente procedentes de Hong Kong junto con Bruce Lee, Jackie Chan, Tony Leung y Michelle Yeoh, entre otros.

no terminan de ser lo mismo. En cuanto a los papeles que componen el guión, quizás en ocasiones el propio guionista no tiene un modelo claro, solo pueden ser entendidos e interpretados por el creador mismo. La inexactitud de la reproducción de escenas suele hacer el trabajo más distante y diferente, y aumentará la sensación artística cuando la gente lo aprecie. Las presentaciones de cine y televisión del maestro Charles Chaplin y del famoso cómico chino Zhao Benshan[1] son reproducciones inexactas de las escenas cotidianas, pero al público les encanta. Eso se debe a que en sus actuaciones utilizaron las herramientas diarias con exageración extrema, sin seguir las teorías de "MSB" para convertir las herramientas diarias en las de habilidad.

El uso de las herramientas diarias para la creación artística no es nada fácil. El éxito en el trabajo depende del ingenio, la percepción y el trabajo duro del creador. Una persona talentosa, muy preparada a intentar y sintetizar constantemente, terminará cada vez con mejores técnicas de aplicación de las herramientas diarias y podrá conseguir grandes logros en la creación artística. En cambio, aquellos que pretenden hacer la creación artística de las herramientas diarias lo más misteriosa posible, convirtiéndola en un privilegio de las herramientas de hablidad y bloqueando a los usuarios de herramientas diarias, son estúpidos y ridículos, y es más difícil que logren tener éxito.

---

[1] Zhao Benshan (1957-), es un actor, comediante, director de televisión y comerciante de arte de China.

3.2 Características creativas de las herramientas de habilidad

La composición en la creación musical, así como el uso de los instrumentos musicales, son típicas creaciones que utilizan herramientas de habilidad. Los creadores deben pasar por un largo período de entrenamiento antes de poder cruzar el umbral de la creación, una realidad hace formar una barrera misteriosa de herramientas entre estos creadores y la gente común. Para la gente común, es muy difícil participar en la creación artística con herramientas de hablidad, y solo puede ser un consumidor puro o un apreciador subjetivo frente a este tipo de arte. El ballet y ciertas categorías de bellas artes son creaciones por herramientas de habilidad. Frente a ellas, el público general solo puede emitir juicios sobre si son agradables o no, mientras que, para su creación, pocas cosas pueden hacer.

Con la popularidad de los ordenadores, algunas creaciones que originalmente pertenecían a las herramientas de hablidad pueden transformarse en herramientas cotidianas. Gracias a las computadoras, las herramientas de habilidad mecánicas y repetitivas ahora son simples y habituales. Por ejemplo, la gente común ya puede usar una computadora para componer música, programar y presentar su canción compuesta, también pueden usar un DV, un portátil o incluso un teléfono móvil

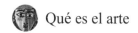

para compilar y extraer excelentes obras cinematográficas. Claro que todavía existe una cierta distancia de calidad entre estos trabajos y los profesionales, pero con el desarrollo de la tecnología, este problema se resolverá gradualmente. De esta manera, la popularización de la creación artística y la "artelización" de la vida cotidiana se convertirán en una posibilidad.

Les Demoiselles d'Avignon
Pablo Picasso

Las características principales de
las obras de arte

La razón por la cual un trabajo puede convertirse en una obra artística ampliamente reconocida se debe a unas características básicas suyas. En pocas palabras, un objeto natural, un artículo, una historia, una pieza musical, una imagen, etc., deben tener las características principales artísticas para convertirse en una obra de arte excelente.

4.1 Ilusión, exageración y engaño

El buen arte debe ser ilusorio. Cuando uno ve una montaña que se parece a una joven delgada, por los sentimientos artísticos generalizados de ella, nombrará este pico como Pico de Diosa. Sin embargo, este monte en realidad solo constituye un pico montañoso habitual, y la sensación de parecer a una diosa preciosa es completamente una ilusión.

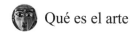

Por ejemplo, en la literatura, las frases de "los pajaritos aterrizan al suelo como hojas" y "las hojas caen al suelo como pajaritos" pueden traer sentimientos artísticos. Si lo describimos como "los pajaritos aterrizan al suelo como pájaros" y "las hojas caen al suelo como hojas", o, aún más directo: "los pajaritos aterrizan al suelo" y "las hojas caen al suelo", estas descripciones debilitan enormemente el sentimiento artístico.

Una duda recurrente que nos planteamos con frecuencia es si la fotografía es arte. Cabe señalar al respecto que la precisión de la fotografía es demasiado alta y por eso, la ilusión que logra causar no es fuerte. Sin embargo, el público suele apreciar mucho las obras fotográficas bruscamente distintas del paisaje real. Consideramos que este fenómeno está determinado por una característica indispensable del arte: la ilusión. De hecho, casi todas las escenas que vemos en una película son ficticias: los escenarios de amor y de guerra han sido procesados con una gran ilusión, solo que el espectador piensa que son verdaderos de la vida corriente. En la Segunda Guerra Mundial seguro que hubo muchas historias trágicas, pero es imposible que sea idéntico al de la película *Salvar al soldado Ryan*. Si restauramos por completo las escenas reales de guerra de la época de esta película, nadie tendría ganas de verla. La apreciación del arte siempre está en una contradicción: al público por un lado le gustan las obras ilusorias, exageradas, incluso falsas y magníficamente engañosas, pero, por otro lado, desean recibir las obras artísticas como realidades en búsqueda de resonancias o emociones.

Esta es una ley crucial de la búsqueda espiritual, un proceso completo de estimulación-asociación-regreso a la realidad-reestimulación-reasociación. La verdadera Mona Lisa puede ser una mujer muy mediocre, pero la Mona Lisa de Leonardo da Vinci está entre lo real y lo recreado, llena de ilusión y exageración, y el engaño es obvio. Como resultado, la pintura de Mona Lisa fascinó a todo el mundo. Al entender esta ley, la creación artística no se extraviará. Las obras realistas no pueden equipararse con la realidad y las obras abstraccionistas deben tener una reflexión concreta, de lo contrario, perderán su vitalidad.

De hecho, la afirmación de que "el arte proviene de la vida y es superior a la vida" no es suficientemente precisa. Solo podemos decir que: "Parte del arte proviene de la vida, pero el arte soberbio se difiere delicadamente de la vida sin dejar huellas", solo de esta manera pueden cumplir con la preferencia emocional al apreciar el arte, y en cuanto a la cuestión de si es de que, si es superior a la vida o no, es una cuestión completamente fuera del ámbito del arte.

En resumen, las obras de arte o los objetos que atraen sentimientos artísticos deben ser ilusorios, exagerados y engañosos.

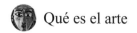

4.2 Inexactitud intencional entre
"lo real" y "lo recreado"

El reino más elevado de la creación artística es la inexactitud intencional entre "lo real" y "lo recreado". Si el artista puede comprender la base de "lo real", entonces "lo recreado" será una luz de habilidad, inspiración y sabiduría. Al contrario, si no lo consigue, "lo recreado" será una representación de los estándares artísticos deficientes.

Cuando un artista logra captar completamente "lo real", "lo recreado" que puede llegar a conseguir siempre presentara diferencias y distancia respecto al original. Esta inexactitud intencional aportará un mayor valor artístico a su trabajo. La pintura de los girasoles de van Gogh es un buen ejemplo. Al contemplar esta obra, todos sabemos que los objetos del retrato son girasoles. Si llegamos a la conclusión equivocada de que son tortillas o cualquier otro objeto, sería un desastre. Entonces, también sentimos que nunca hemos visto unos girasoles semejantes en nuestras vidas, sentimos que son mucho más hermosos y emocionales que los reales. Esta imprecisión intencional, al traer una mayor vitalidad artística a la obra, tiene que ser controlable, de forma que permita al artista dominarlo con facilidad.

Pongamos otro ejemplo habitual: Los pintores suelen prestar mucha atención al efecto de perspectiva en sus obras. Si un pintor crea con precisión según la perspectiva óptica similar a una cámara (es decir, la perspectiva física), la imagen suele terminar siendo opaca. En este momento, los pintores que conocen bien las habilidades artísticas elegirán entre la perspectiva física y la emocional. Medido por la perspectiva física, la perspectiva emocional es inexacta o incluso escandalosa. Sin embargo, es el uso inteligente del pintor de la perspectiva emocional que causa que la temática de la obra sea prominente y que el sentimiento artístico sea enormemente fortalecido. Consideramos que este ejemplo también es una manifestación de la inexactitud intencional en la creación artística.

Los expertos en acústica nos dicen que la belleza y el impacto de la sinfonía provienen de la imprecisión controlable de cada instrumento. Si el tono de cada instrumento musical es exactamente lo mismo, la resonancia fuerte de la onda acústica formada durante el concierto hará que el efecto de sonido sea demasiado duro e insoportable.

En una palabra, todas estas apreciaciones son características esenciales que debe poseer una obra artística exitosa, y las resumimos en las siguientes: 1. ilusión, exageración y engaño; 2. inexactitud intencional entre "lo real" y "lo recreado".

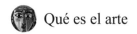

Conclusión

La aparición del internet ha reducido las barreras de entrada para muchas categorías de arte. Podemos subir las obras de literatura, pintura, música, video y otras creaciones a internet permitiendo que casi todo el mundo pueda contemplarlas. De la misma manera, también podemos obtener conocimientos y habilidades online, provocando que el intercambio de ideas artísticas y creativas sea cada día más fácil. Con el desarrollo constante de la ciencia y la tecnología, vemos que cada vez hay más herramientas de hablidad que se han convertido en herramientas diarias. Al tener una comunicación de información extremadamente conveniente, vivimos una época con procesamientos posteriores culturales dinámicos nunca vistos en la historia, lo cual ha sido reflejado por las fluctuaciones de los precios de las pinturas en los últimos años.

Con la llegada de la época de popularidad de internet, se registrarán cambios bruscos en las formas de comunicación, de entendimiento y solución de los problemas, que conducirán a transformaciones

fundamentales no solo en la vida, las emociones, los valores, la gestión nacional, la política, sino que también en el sistema de entender, crear, presentar y evaluar el arte.

Por lo tanto, creemos que no es una exageración llamar a la era de internet como la nueva era del arte y consideramos que, en el futuro, la cuestión de "¿qué es el arte?" se convertirá en una pregunta común y corriente en la vida cotidiana.

Las meninas
Diego Rodríguez de Silva y Velázquez

8

韩誉 译

يقدم هذا الكتاب ـ انطلاقاً من الخصائص الجوهرية للفن ـ تحليلاً فلسفياً عميقاً للإحساس الفني وقوانين الإبداع الفني واتجاهات الناس العاطفية عند استمتاعهم بالفن، إلى جانب تحليلٍ لشروط تكوين الإحساس الفني، وتصنيفٍ لمراحل الإبداع الفني وأدواته، ومناقشةٍ طريفة حول الخصائص الرئيسية للأعمال الفنية.

يجيب الكتاب بشكل أساسي عن مسألة ماهيّة الفن على المستوى الفلسفي، وبناء على ذلك يتم إحداث سلسلة من المفاهيم والمناهج الجديدة في الدراسات الفنية، لتشكّل قفزة في فهم الفن والإبداع الفني.

تأتي العديد من النقاط في الكتاب من ابتكار المؤلف. وقد شارك في كثير من محتويات الكتاب وناقشها في جامعات وصالونات حول العالم، حيث حظيت وجهة نظره الطريفة والمتميزة باهتمام بالغ من علماء نظريات الفن.

قدم هذا الكتاب حلّاً متماسكاً بشكل عام لإحدى المشاكل المزمنة في الدراسات الأدبية والفنية، وهي التوفيق بين الإطار المرجعي والمنهج. ومن هذه الناحية تأتي قيمته الأكاديمية المهمة.

وقد دَفَعَنا ذلك إلى نشر هذه الأفكار في شكل دراسة وترجمتها إلى ثماني لغات، بحيث تكون

مرجعاً عند المزيد من الباحثين والمهتمين بنظريات الفن في العالم، وكذلك عند المبدعين الفنانين

والعاملين في الصناعات الثقافية.

يبدو هذا الكتاب هزيلاً غاية الإيجاز باعتباره كتاباً، ولكن بما أنه قد تم توضيح الأفكار وحَلُّ

العديد من المسائل بواسطة هذه الكلمات القليلة، فلم تبق ضرورة لكتابة الكثير.

بقلم نيه شنغتشه

أوكتوبر ٢٠٢٠

في غايهواتانغ بضاحية سوتشو

الفهرس

ما هو الفن؟ ما معنى كلمة الفن؟ مهما تغير التعبير، فإن هذا السؤال في الحقيقة محاولةٌ لوضع الحد بين الفن وغيره. لقد طال الزمن والناس يسعون إلى إيجاد خط واضح يحدد نطاق الفن، وتحقيق حكم بديهي بين الفن وغيره، مثلما يفرقون بين الماء والنار، أو البياض والسواد... وللأسف فإن الفن، بفعل التغيرات الديناميكية في أشكاله وتعاريفه المتفرقة، لم يترك للناس إلا الاعتماد على الإحساس دون غيره في حكمهم على فنية الأشياء، بل إن هذا الحكم قد يتم بالاتباع الأعمى دون إحساسهم الحقيقي في كثير من الأحيان.

ما دام التعريف الدقيق المتفق عليه للفن غائباً، فإننا نبقى معرّضين لتأثير سلبي شديد في إبداعنا الفني، والدراسات العلمية، وأنماط التفكير، والتعابير الثقافية، ومدى تثقيف الأفراد بل حتى أخلاقهم. وطالما حذّرتنا العِبَر التاريخية من خطورة هذا التأثير، وما قد يسببه من تعثر أو ركود لتقدمنا الحضاري.

في الواقع فإن تعريف الفن قبل كل شيء هو تعريف للإحساس الفني، وهو مسألة تبدأ من المستوى الفزيولوجي لتنتقل إلى المستوى الفلسفي. ينشأ الإحساس الفني من عملية ديناميكية في تعرف الإنسان على العالم، وغالبا ما تؤدي ديناميكيتها إلى تغيّر تدريجي في إدراك الإنسان للفن. وهذا التغير الإدراكي بدوره ينزل بتعاريف الفن إلى مستوى دنيوي بعيد عن الطبيعة الفلسفية للمسألة، بل ينفي معنى تعريف الفن على المستوى الفلسفي. لذلك، فليس هناك معيار وإطار مرجعي متفق عليهما، حتى الآن، لتعريف الفن.

بشكل عام، فإن أي إحساس فني في بدايته ناتج عن الظهور المفاجئ لعنصر جديد غير

روتيني في الحياة، عندئذ تتم إثارة للحواس تَحْدُثُ غالباً نتيجةَ المفاجأة. وعلى أن الإثارة ستؤدي إلى خدر الحواس بعد فترة زمنية معينة -وهو قانون موضوعي عمومي- غير أن الإنسان وإن كان قد خُدّر من إثارة عنصر معيّن قد يستفيق ويستعيد شعوره الأول، إذا وجد المزيد والمزيد من الناس يتأثرون بنفس العنصر ويعبرون عن إعجابهم به، وهكذا تتم إثارة الشعور مرة ثانية، ويليه الخدر مرة أخرى... لقد قام الناس بالتلخيص العمومي لهذه العملية التكرارية، فكان في بدايته ظناً وشعوراً، ثم استقراءً عاطفياً، ثم تعريفاً تجريدياً تلخيصياً بواسطة اللغة. وفي هذا الصدد قد شاعت تعاريف مختلفة للفن.

عند بحثنا في قضية الفن، لا بد لنا أن نتطرق إلى أربعة موضوعات وهي: ١- الإحساس الفني؛ ٢- عملية الإبداع الفني؛ ٣- أدوات الإبداع الفني؛ ٤- السمات الخاصة للأعمال الفنية.

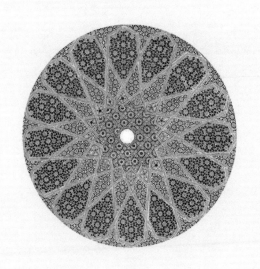

1

شرطان خارجيان لإحداث الإحساس الفني

أـ الإحساس الفني ناتج أولاً عن الاختلاف، فالشعور
بالطرافة هو الطور البدائي له

هكذا يمكن أن نفترض: بداية الإحساس الفني عند الإنسان البدائي قد ترجع إلى الأوراق الأولى التي يلبسها لستر عورته، أو إلى صياح مِن أحد أفراد الجماعة يؤنس الآذان بموسيقاه. ذلك لأن الإنسان القديم ـبتعوده على العري والصياح العشوائي- كان ينظر إلى لبس الأوراق كأنه مفاجأة صادمة خارقة للعادة، أما الصياح الموسيقي الأول فلم يؤثر في الناس بعذوبته قدر تأثيره فيهم بطرافته وخروجه على المتوقع. حينما يبدأ القلة من الناس بستر عورتهم، ينشأ الاختلاف بينهم وبين غيرهم، مما يُدخِل الجماعة إلى حالة جديدة متميزة بوجود طاقة كامنة تقتضي تسويتها انتقال الطاقة بين مستوييها الأعلى والأدنى، وهو عملية لا تتم إلا بمرور الزمن وبالحكمة والجرأة بل المهارة من قبل الناس.

لذلك نقول إن الإحساس الفني يأتي أولاً من الاختلاف. على سبيل المثال، ستكون الصور السوداء والبيضاء فناً إذا تعودت العيون على الصور الملونة، وتكون الصور الملونة فناً أيضاً إذا طرأت على عالم أسود أبيض. وكذلك صورة شراع أبيض على سطح البحر الأزرق، أو شخص

في ثياب زرقاء يظهر عن بعد في بلاد مغطاة بالثلج، فكلاهما سيترك الإحساس الفني في نفوس الناس. وكذلك رجل من سكان المدن إذا حل بجبلٍ ذي مناظر طبيعية ساحرة، أو رجل آخر من سكان الجبال لم يسبق أن رأى مدينة قطٌ فإذا به يأتي إلى المدينة، فكلاهما سيجرّبان إحساساً فنياً وإن كان فيه غموض شديد. ورغم أن مكونات المشاهد أعلاه ليست بالضرورة فنية، وليست بالضرورة ذات دوافع إبداعية فنية، غير أن التأثيرات التي تنتجها هذه المشاهد فنية تماماً.

ومما يثبت صحة هذا القانون أيضاً تغريد البلبل وريش ذيل الطاووس، فالطاووس إنما يتباهى بريشه ليتودد إلى أنثاه، وكذلك يغرد البلبل من أجل التكاثر أو للتسلية فقط، ولكنهما لم يهتمّا أبداً بالإبداع الفني. غير أن هذه الظواهر أثارت شعوراً ينتمي إلى مجال الفن عند أصحاب العواطف والوجدان.

ينتج الإحساس الفني أولاً من الاختلاف، وذلك لأن الاختلاف يُحدث الشعور بالطرافة، وهذا الأخير يكوّن الطور الأول، الذي لا يُستغنى عنه ولا يُجتنب، من أطوار الإحساس الفني. ولا يجوز للإحساس الفني أن يبقى كما هو، فمع مرور الزمن يُنبذ منه ما هو ناتج عن الانخداع الحسي، ويتلاشى منه جزء آخر ويُهمل إذا تلاشت جدّتُه وغدا روتينياً، بحيث لا يتبقّى منه في ذاكرة الناس سوى الأشياء الدائمة القدرة على خلب الحواس، والتي تغدو -بعد دورات من النسيان والتذكر، وتداولٍ وتوارث- معترفاً بها لدى الجمهور باعتبارها عناصر مثيرةً للإحساس الفني. لذلك فإن أعمال أول مَنْ رسم، أو غنّى، أو نحت، لا يمكن أن تُعتبر فناً في عصرها، وإنما يُعدّ صاحبها رسّاماً أو مطرباً أو نحّاتاً بعد أن يتأثر الناس من الاختلاف بين أعماله وحياتهم اليومية، ويمرّون بأطوار من التعرف والتلخيص والتشكك وإعادة التعرف، إلى أن يتوصلوا إلى الإجماع.

إن المسافة، مكانيةً كانت أو زمنية، تعدّ أولاً من المفاهيم الفيزيائية. أما من منظور الفلسفة، فقد تكون سبباً من أسباب الشعور بالاختلاف، وإن كان هذا الاختلاف وهمياً في كثير من الأحيان. وقد مكّنتها خاصّيتها هذه من تأدية دورٍ حاسم في عملية إحداث الإحساس الفني.

أولاً، لنتخذ الكواكب مثلاً لتبيين دور التباعد في إحداث الإحساس الفني.

لنتخيل ليالي الخريف، بفضائها الطليق وهوائها العليل، إذ يسطع البدر منيراً وسط السماء، أو يتوارى تاركاً النجوم تتلألأ وحدها. فمذ رآها أهل الأرض للمرة الأولى، لم يَرَ أحد هذا المنظر -الساحر والبعيد كل البعد- إلا وشعر بالرضى والسرور في نفسه، وهي مشاعر فنية في جوهرها. مع أن علماء الفلك والفيزياء الفلكية لا يرون في هذه النجوم المشعّة بشتى الأنوار والمليئة بالسحر إلا كواكب جليدية أو نارية، ترابية أو صخرية أو غازية، منيرة من خلال الاشتعال أو انعكاس الضوء، لتصل صورتها إلى العيون عبر مسافات هائلة، غير أن الشعور الذي تثيره في نفوس الناس فنيٌّ بلا شك، ولا شك أن الانطباع الذي تتركه فينا فنيٌّ أيضاً. وطبيعي أن الكائنات المكوِّنة لهذه المشاهد لا تضمن بالضرورة خصائص فنيّة، ولم تظهر كنتيجة لحوافز إبداعية فنية، غير أن تأثيراتها يمكن أن تكون فنية تماماً.

ذلك لأن التباعد يخلق شعوراً غيبياً (نتيجةً لاستحالة المعرفة القصوى)، وهو غالباً ما يتمثل في شعور بالغموض، فيه صور جميلة، بل أوهام في أحيان كثيرة، مما يُري الإنسان ما لا يراه في بيئته اليومية، ويُحدث الشعور بالاختلاف بل الراحة في نفسه، ليكوّن أخيراً الإحساس الفني.

إن الأمثال الدالّة على نتوج الإحساس الفني عن التباعد أكثر من أن تستوفى. فمشهد نساء إفريقيات وهن يعملن في المزرعة ساعة الغروب مثلاً، بوقتهن أو انحنائهن، وأردافهن وصدورهن وكل حركاتهن... ستطغى عليه الفنية في عيون سكان الشرق بابتعادهم، أما بالنسبة إلى أزواجهن

261

فلن يكون إلا مشهد أعمال يومية. كذلك نجوم السينما بلمعانهم وهالتهم الملونة أمام الجمهور، وما يثيرونه من إحساس فني، فإنهم بالنسبة إلى شركاء حياتهم لن يبدوا سوى مجرد أزواج وزوجات عاديين، وتغدو فنيتهم مشكوكاً فيها.

هل وجود العلاقات العاطفية خارج إطار الزواج معقول؟ وهل الغدر في الزواج موضع محاسبة أخلاقية؟ ستؤول الإجابة عن كل هذه الأسئلة إلى علماء المجتمع والأخلاق والتشريع. ولكن يمكن على كل، لهذه العلاقة، جوهرياً، أن تكون مثالاً آخر يدلّ على نتوج الإحساس الفني عن التباعد. ففي الواقع نجد البعض لا يكتفون بنصيبهم من أزواج وإن كان زواجهم حسنًا أو وسيمين. وهذا الشعور الذي أغراهم إلى ذلك، والذي نتج عن الخروج من الحياة الروتينية، لا يعدو أن يكون شعوراً ذا طابع فني، تبلور من شعور بالغموض، وتعجب، أو انخداع حسي أو تخيّل ذي ميل وقصد. فلربما كان موقفهم هذا من الزواج، في جوهره، تلبيةً لرغبتهم في الإحساس الفني وإن كانت هذه الرغبة غير أخلاقية. يقول البعض إن التباعد ينتج الجمال، وفي الحقيقة فإن هذا الحكم ليس دقيقاً كل الدقة، فالتعبير الأصح هو أن التباعد ينتج الإحساس الفني.

كذلك إن فنية الآثار القديمة في نفوسنا ذاتية إلى حد كبير، فلربما كانت مجرد أوعية أو أدوات عادية فاكتسبت الصفة الفنية تلقائياً بمرور مئات بل آلاف من السنين من المسافة الزمنية، وأضحت مثيرةً للإحساس الفني بفضل المسافة الزمنية التي قطعتها.

ثم لنناقش: هل إحساس الناس عند مشاهدة أعمال التصوير الفوتوغرافي يمثّل إحساساً فنيا؟

لقد طال الجدل حول ما إذا كان التصوير الفوتوغرافي فنّاً، خاصة وأن نتاجه صور (سطوح بصرية) ـأو بعبارة أخرى، أعمال جرافيكيةـ مثل ما ينتجه الرسم. فقد يضع الناس هذا الحكم بناء على عواطفهم الساذجة: فبمجرد ضغطة على الزر تحصل على صورة، أين هذا من الفن؟ فلا يجوز لصورةٍ أن تسمى فناً إلا إذا كانت نتاج رسم وتسطير في غاية الدقة والصبر من رسام بفرشاته ومنقاشه.

ولكن لنعمل تحليلاً لأداة التصوير الفوتوغرافي وعمليته.

يعتمد التصوير الفوتوغرافي على أداة معقّدة ويتم في غمضة عين، أما الرسم فيقتضي عملية

إبداع معقدة معتمداً على أدوات بسيطة؛ ويتم التصوير الفوتوغرافي بمجرد ضغطة على زر الغالق لا علاقة لها بالمهارة، أما الرسم فيتطلب مهارة عالية... في الواقع فإن هذه المعايير للمقارنة بينهما تبدو سطحيةً جداً بل عاطفية، وبدلاً من ذلك يجب أن نحكم من منظور الاختلاف. فالصورة الفوتوغرافية أولاً لا تساوي المادة التي أنتجتها، بل هي عمل جرافيكي ناتج عن عملية تسجيل نَفّذها المصور بناءً على إحساسه وحكمه في لحظة معينة، وقد يقوم المصور الخبير بتدابير خاصة في فتحة العدسة والغالق والإضاءة وغيرها بحيث تبدو الصورة مغايرةً لما تراه العين، إبرازاً للاختلاف. ومما يؤكد على وجود هذا الاختلاف التعبير التالي الذي نردده في الحياة اليومية: فلان جذابٌ للكاميراـ فقد انعكست بذلك طبيعة الفرق بين الصورة الفوتوغرافية وأصلها في العالم الواقعي، فصورة شخص في التصوير الفوتوغرافي، جذابةً كانت أو غير جذابة، لا تساوي واقع هذا الشخص. وإذا كان العالم في عدسة الكاميرا مختلفاً عنه في عيون الناس، فإن هذا الاختلاف فيه الإمكانية لإحداث الإحساس الفني.

ثم لنُعِدْ التحليل من منظور التباعد. فعندما ننظر إلى صورة فوتوغرافية لجبال الهيمالايا مثلاً، سنحسّ بقصو المسافة المكانية التي تفصل بيننا وبينها، والتي تبلغ عشرات آلاف الكيلومترات، كذلك سندرك المسافة الزمنية الواضحة إذ أنها تسجيل لمشهد الجبال في لحظةٍ مضت، فلو سافرنا إلى جبال الهيمالايا في العالم الواقعي بحثاً عن نفس المشهد، فمن شبه المستحيل أن نلتقط مشهداً يتوافق مع كل التوافق مع ما هو في الصورة، وإن كان هناك تشابه بينهما.

لذا فإن الإحساس الفني في أعمال التصوير الفوتوغرافي واضح، إذا قيس على معياري الاختلاف والتباعد. بل إنهما ساريان في قياس الإحساس الفني في كافة أشكال الفن، أدباً ورسماً ومسرحاً ورقصاً وسينما وتلفزيوناً وهندسة معمارية، حين نقرؤها أو نشاهدها أو نستمع إليها.

263

عمليتان للإبداع الفني

يمر العمل الفني عادةً بعمليتين قبل ولادته، هما عملية المعالجة المادية والمعالجة الثقافية .

أـ المعالجة المادية هي الخطوة الأولى لولادة العمل الفني

لم يكن عمل عملاً فنيًّا إلا وهو يلقي تأثيراته بواسطة المادة. فواسطة الموسيقى هي الموجات الصوتية، وواسطة الفنون التصويرية والتشكيلية والتمثيلية هي الموجات الضوئية (كذلك الكتابة الأدبية التي يتم التقاط رموزها عبر الموجات الضوئية قبل تحويلها إلى المعاني)، وواسطة الطبخ هي جزيئات المذاق، من خلال عمليات فيزيائية إلى جانب عمليات كيميائية.

وقبل الإبداع الفني، قد يكون المنحوت قطعة حجر، أو طيناً قابلاً للتشكيل، وقد تكون اللوحة عبارة عن مجرد قماش أو ورقة وفرشاة وحبر، والأدب مجرد أوراق وقلم (أو كمبيوتر الآن)، والموسيقى نوتة وآلات موسيقية، والتصوير الفواوغرافي كاميرا ومنظراً وضوءاً، والبناء معماريّين وبنّائين وماكينات وموادّ للبناء...

إن عملية المعالجة المادية باختصار عملية تحويل وتصنيع، فالنحّات يصنع بالمنقاش والمطرقة والإزميل، والرسام بالطلاء والفرشاة، والعازف بآلته الموسيقية، والأديب أو الشاعر بالأوراق والقلم (أو الكمبيوتر أو الهاتف الذكي)، والمصور بالكاميرا، والمهندس المعماري بالرسم التخطيطي والبنائين... فيُنْجَز بذلك المنحوتات واللوحات والروايات والقصائد والموسيقى والصور

والمباني، مما يعني انتهاء عملية المعالجة المادية من عملية الإبداع الفني.

ب- عملية المعالجة الثقافية عند المبدع تتم بالترافق
مع عملية المعالجة المادية

تتكون عملية المعالجة الثقافية من معالجة أولية ومعالجة لاحقة.

تتم المعالجة الثقافية الأولية (وتسمى أيضاً المعالجة العاطفية) مرافِقةً لعملية المعالجة المادية من بدايتها إلى نهايتها، وذلك على يد الإنسان المبدع نفسه. ففي أغلب الحالات إنما يقوم بالإبداع بناءً على حوافز فنية واضحة ستتخلل عملية الإبداع بكاملها فيما نسميه عملية المعالجة الثقافية الأولية، ومن خلالها يظل الفنان يقوّم عمله ويحسّنه ويرقّيه، فيغدو في آخر المطاف نابضاً بالحياة، أو مليئاً بالخيال أو بالعجائب والغرائب... وقد اكتملت فنيته. غير أن هذا النوع من المعالجة الثقافية، النابعة من المبدع وحده، غالباً ما تخضع لمحدودية كبيرة، فمع انتهائها عند انتهاء المعالجة المادية لا يكون لها إلا مجال ضيّق للتأثير.

أما عملية المعالجة الثقافية اللاحقة، فهي عملية تكرارية يحدث فيها الناس، باستمرار، أخيلة غير متناهية حول العمل الفني أو غيره، مدفوعين بشتى المقاصد والمشاعر، ومن تداوُل تلك الأخيلة عبر واسطة اللغة. ومن خلال هذه العملية يكتسب العمل الفني أو أي شيء آخر المزيد من الحياة الفنية والقيمة، بشكل مفتوح قد يصعب توقعه، بل ربما في توسّع بلا نهاية.

ج- اتساع عملية المعالجة الثقافية اللاحقة خارج
العمل الفني ذاته، وخارج مبدعه

مع أن عملية المعالجة الثقافية اللاحقة قائمة على أساس ميزات العمل الفني ونوعيّته وروحه،
بيد أن بدايتها الحقيقية غالباً ما تكون بعد ولادة العمل. فهي وحدها المعالجة الثقافية الحقيقية،
وهي عملية معقدة لا تعرف النهاية أبداً، مؤديةً إلى نتائج بعيدة عن المقصد الأصلي للمبدع. وهي
عملية تخيّلٍ غير محدود، وتوسيع مستمر للعواطف الفنية تجاه العمل الفني يجري على أيدي
الجميع اعتماداً على مخيلتهم وتجاربهم الشخصية وغاياتهم ومعتقداتهم الدينية وانتماءاتهم الوطنية
ومكاناتهم ومصالحهم الاقتصادية ... إن الطاقة الكامنة في المعالجة الثقافية اللاحقة ضخمة بحيث لا
يمكن تقديرها أو تخيّلها، كما أن تأثيرها في الأعمال الفنية واضح، ومن أبرز الأعمال التي استفادت
منها: لوحة دوار الشمس لفان جوخ وأريكة الشفاه لسلفادور دالي، بل إن قيمة أمثالهما من الأعمال
ستزداد باستمرار من خلال معالجات رائعة في المستقبل. وفي الحقيقة لم يكن فان جوخ أو دالي
حتماً يقدّر عمله هذا مثلما نقدره اليوم، بل ربما كان يعتبره عملاً عادياً، أو يشعر بالخوف والقلق
على أن يكون عمله موضع سخرية معاصريه، غير أنه فيما بعد ـ ولأسباب عديدة، مثل التغيرات
التاريخية وحركات اجتماعية معينة، والمعارض المتتالية، وألغاز كسوه إياها عمداً، وعمليات
تسويقية، واهتمام الناس به جيلاً بعد جيل ـ أصبح موضع معالجات ثقافية مستمرة بلا انقطاع، بل
متزايدة بعيداً عن كل توقعات الفنان حين أبدعه، فلو سمع هذا الخبر في مثواه لانقلب ضاحكاً.
ومن هذا المنظور، فإن «دوار الشمس» و«أريكة الشفاه» وغيرهما من الأعمال كانت نتيجة إبداع
مشترك بين فان جوخ أو دالي من جهة وبين جميع المهتمين بتلك الأعمال عالمياً، لأن المهتمين هم
الذين أنجزوا المشروع الضخم في المعالجة الثقافية اللاحقة.

لا تقتصر المعالجة الثقافية اللاحقة في الأعمال المبدَعة اصطناعياً، بل إنها ممكنة في بعض
الكائنات الطبيعية أو الفارغة من المعنى، مثل أي صخرة أو شجرة صنوبر قديمة في الجبال، لكنها

قد تكتسب حياةً فنيةً وقيمةً من خلال معالجات ثقافية عبر عدة أجيال.

ومن أمثلة ذلك ـتلك الشجرة المسماة باسم «ينغكهسونغ» (صنوبر استقبال الضيوف) على جبل هوانغشان، فلم تكن سوى شجرة صنوبر قديمة بدون اسم، أما تسميتها فجاءت عبر معالجة ثقافية لاحقة. ومع تتابع السيّاح بمن فيهم الرحّالة والمصوّرون والرسامون... قدّم كل منهم، مدفوعاً بعواطفه أو لأجل أي غاية أخرى، وَصْفَهُ للشجرة بناءً على مخيلته الخاصة. وكلما انتشرت أوصافهم لها بوساطة اللغة، تميزت الشجرة أكثر عن باقي الأشجار من نوعها، بعد أن كانت مثلها لا تثير أي شعور بالاختلاف أو التباعد، وصارت اليوم تغمر مشاهديها بالتجارب الفنية. ولعل الكثير من الأساطير، مثل قصة «ليوسانجيه» (من بعض الصخور في منطقة قوانغشي- المترجم) أو «تشانغ إي» ساكنة القمر أو قصة ظهور جبل الخالدة (أحد جبال ووشان- المترجم)، كانت من الأمثلة النموذجية التي تدلّ على تحول الكائنات الطبيعية أو الفارغة من المعنى إلى مواضع الإحساس الفني عبر المعالجة الثقافية اللاحقة.

ولا بد أن نشير إلى أن المعالجة الثقافية اللاحقة في الأعمال غير القابلة لإعادة الإنتاج، مثل اللوحات والمنحوتات والمباني، بسبب فرادة تلك الأعمال، ستزداد باستمرار مع تزايد العمليات التسويقية، إلى أن تغدو منقادةً بها أحيانا، وهي بالمقابل ستقدّم التفسيرات والتبريرات للعمليات التسويقية لجعلها متماسكةً منطقياً. وبهذا الاقتران بينهما، فإن المعالجة الثقافية لتلك الأعمال ستستمر ما دامت لتلك الأعمال سوق. أما الأدب والموسيقى (التلحين بشكل خاص) فليس لهما هذا الحظ، لأن الروايات والقصائد والنوتات الموسيقية أكثر قابلية للاستنساخ، مما قلل من قيمتها التسويقية لقلة صفة الفرادة في نُسَخِها.

وقد يتساءل السائل: لكن أليس في المخطوطات الأدبية والموسيقية قيمة كبيرة؟ نعم، غير أن قيمتها مثل قيمة لوحات الخط والرسم، وهي منفصلة نسبياً عن قيمة مضمونها أدباً أو موسيقى. وبمجرد التسمية يمكن أن نلاحظ الفرق بين المخطوطات وبين ما تحويه من عمل فني، مثل مخطوط «مدام بوفاري» للكاتب جوستاف فلوبير، أو مخطوط «ذكرى لأجل النسيان» للكاتب لو شيون... فهي مستقلةٌ عن قيمة الأعمال الأدبية أو الموسيقية ذاتها، وإذا كانت بينهما علاقة فليست

إلا علاقة ضعيفة.

لذلك تبدو المعالجة الثقافية اللاحقة للأعمال الأدبية والموسيقية أصعب، وقابليتُها للتسويق أضعف منها للوحات والمنحوتات، ناهيك عن ظاهرة الاقتران بين عمليّتي المعالجة الثقافية والتسويق فيها.

3

أداتان للإبداع الفني

إن الأدوات لازمة في عملية الإبداع الفني. وإلى جانب الأدوات بمعناها المادي، يتطلب الإبداع الفني أدوات أخرى مفاهيمية على المستوى الفلسفي، ولنقسّم هذه المجموعة الأخيرة إلى «أدوات يومية» و»أدوات مهاراتية». أما الأدوات اليومية فهي أدوات يتقن الإنسان استخدامها دونما تدريبات تخصّصية مكثفة، مثل كتابة الحروف والرموز عند الإنشاء الأدبي أو استخدام الكاميرا الآلية عند التصوير، أو استخدام أطراف الجسد عند التمثيل السينمائي إلخ. أما الأدوات المهاراتية فلا يتقن استخدامها إلا من تدرّب تدريباً صارماً، مثل العزف عند العازف، وتوظيف الآلات واستخدام النوتة عند الملحّن، والتحكم في النفس والحبل الصوتي عند مغنّي «البيل كانتو»، والحركات الجسدية عند ممثلي الباليه والأكروبات والجمباز الإيقاعي، وما إلى ذلك. فميزة الأدوات المهاراتية أنها لا تُتقَن إلا من خلال تدريب خاص طويل الأمد تحت إشراف أساتذة متخصصين،

ومن الصعب أن يدركها المتعلم بمجرد جهده دون إرشاد.

كما أن هناك أدوات يصعب تحديدها على أنها أدوات يومية أو مهاراتية، مثل مهارات الخط، والغناء في الأغاني الشعبية وموسيقى البوب، وبعض تقنيات الفنون التشكيلية... لأنها قد تُدرَك وتُتقَن بالفطنة أو التأمل أحياناً، وقد تتطلب التلقين والتدريب المتخصص أحياناً أخرى، فمن الصعب أن تُعرَّف من ضمن أحد الصنفين دون غيره. على كل، فإن الأدوات المستخدمة في الإبداع الفني متنوعة، بل إن بعضها متباينة جذرياً، وإن هذه لمسألة مهمة جديرة بالبحث على وجه دقيق وعميق.

أ- خصائص الإبداع بالأدوات اليومية

لنتحدث عن الإنشاء الأدبي مثلاً. فالكتابة، قبل مائة أو منتي سنة، كانت تنتمي إلى فئة الأدوات المهاراتية، إذ لم تكن شائعة يتقنها كثير من الناس. أما في العصر الراهن، فقد أوشكت العامة أن يتقنوا الكتابة جميعاً، وصارت الكتابة إحدى الأدوات اليومية، ويمكن القول إن الكتابة في العالم اليوم مثل التكلم لا يوجد إنسان سليم إلا وهو يعرفها، وصار الإبداع الأدبي ممكناً لأي إنسان تقريباً ما دامت لديه ثقةٌ بنفسه. وفي الواقع فإن أكثر الكُتَّاب، المحترفين وغير المحترفين منهم، لم يكونوا في البداية سوى هواةٍ للأدب، ثم دخلوا مجال الكتابة بكامل الحرية، لأن أداة الكتابة أداة يومية ولا تشكِّل عتبة مانعة في طريقهم. ولم يكن بينهم تفاوت إلا بعد ذلك، إذ كان الإلهام يوافي البعض دون غيرهم، وازدادت خبرة البعض دون غيرهم من خلال العمل الدؤوب، فأنجز البعض إبداعات رائعة بل خالدة، وأصبح الآخرون مغمورين واختفت آثارهم.

كذلك التصوير الفوتوغرافي، فلقد صار شراء الكاميرا الرقمية، مع تقدم التكنولوجيا، أمراً عادياً ميسور التكلفة بل متخلفاً قليلاً عن العصر الجديد، إذ أن بعض الهواتف باتت مزودة بقدرات عالية في التصوير. فأصبح التصوير، على أنه فن، يتم عبر أداة يومية، بل تزداد يوميتها باستمرار

269

مع التحسن المستمر في أداء الهاتف بما فيه من سهولة الاستعمال.

ومن الفنون التي تعتمد على الأدوات اليومية التمثيل السينمائي. وعلى الرغم من كثرة المواد النظرية التي تُدرَّس في العديد من معاهد الدراما والسينما، وتقديمها لنظريات مي لانفانغ[1]وستانيسلافسكي[2]وبريشت[3] للتمثيل المسرحي مع شتى التفسيرات والتعليقات، غير أنه من الخطأ الواضح بل المضلل أن يغرسوا في الطلاب قسرياً وجهات نظر هؤلاء أو مدارسهم، محاولين إدماج فن التمثيل إلى نطاق الأدوات المهاراتية. وبالمعنى الدقيق للكلمة، فإن أنظمة التمثيل التي أنشأها هؤلاء كانت مجرد تلخيصات لخبرتهم، يُعتبر بها كأمثلة مرجعية، ولكن ليست لها سلطة إرشادية. فقد كانت الممثلة شانغقوان يونتشو[4] مساعِدةً بسيطة في محل الحلاقة، كذلك الممثل تشو يونفات[5]وشوارزنيجر... ولم يتلقَ هؤلاء تدريباً تخصصياً في التمثيل، أو تلقيناً معمقاً في نظريات مي لانفانغ وستانيسلافسكي وبريشت، لكنهم أصبحوا فنانين بارزين في التمثيل السينمائي.

إن التمثيل السينمائي هو أقرب الفنون إلى الحياة اليومية، إذ يتم من خلال استنساخ المشاهد والمواقف. وبما أن لكل شخص تجربته الخاصة في الحياة، فمن الطبيعي أن يترك بصمته الخاصة في الدور الذي يمثله. أما صورة الدور الأصلية في النص، فقد تكون غامضة لم يحددها المؤلف، بل ترك للمبدعين مجالاً بحيث يتذوقونها ويترجمونها على الشاشة. وغالباً ما يؤدي هذا الغموض

---

① مي لانفانغ (١٨٩٤-١٩٦١) ، بالصينية المبسطة، هو أحد أشهر الفنانين في تاريخ أوبرا بكين لترجمته الفريدة للشخصيات النسائية باعتباره رجلاً

② قسطنطين ستانيسلافسكي (١٨٦٣-١٩٣٨) ، هو ممثل مسرحي ومخرج وعالم تربوي روسي، وصاحب نظرية في التمثيل، ومؤسس لمسرح موسكو للفن

③ برتولت بريشت (١٨٩٨-١٩٥٦) ، هو مؤلف مسرحي وشاعر ألماني، ومؤسس للمسرح الملحمي (ويسمى أيضاً المسرح الجدلي)

④ شانغقوان يونتشو (١٩٢٠-١٩٦٨) ، بالصينية المبسطة، هي إحدى أبرز الممثلات الصينيات موهبةً في الأربعينيات، وتعتبر من ضمن أفضل ١٠٠ ممثل سينمائي صيني في القرن العشرين.

⑤ تشو يونفات (ولد عام ١٩٥٥) ، بالصينية المبسطة، هو أحد أشهر الممثلين الدوليين من مدينة هونغ كونغ من أمثال بروس لي وجاكي شان وتوني ليونغ تشيو واي وميشيل يوه.

270

أو الشذوذ في استنساخ المشهد إلى زيادة صفة التباعد والاختلاف في الفيلم، وبالتالي يزيد من الإحساس الفني في نفوس المشاهدين. فالتمثيل عند تشابلين وتشاو بنشان[1] وإن كان أبعد ما يكون عن التمثيل القياسي ـكان أحب ما يكون من تمثيل عند المشاهدين. فهذان في تمثيلهما جَدًّا في استعمال الأدوات اليومية واستفادا من المبالغة إلى أقصى حد، ولكنهما لم يتَّبعا نظريات مي لانفانغ أو ستانيسلافسكي أو بريشت، ولم يحاولا أبداً تحويل الأداة اليومية إلى أداة مهاراتية.

لكن سهولة استخدام الأداة اليومية لا تعني أن الإبداع بتلك الأدوات سهل أيضاً. فنجاح العمل الفني يتوقف إلى حد كبير على موهبة مبدعه وفطنته ومدى دأبه واجتهاده. فالإنسان إذا كان ذا فطرة عالية، ومثابراً على التجربة وتلخيص الخبرة، فسوف تزداد مهارته في استخدام الأدوات اليومية حتى يتمكن من إنجاز الأعمال العظيمة. لكنه إن أراد أن يضفي لإبداعاته القائمة على الأداة اليومية هالةً من السحر، مدّعياً أنها منحصرة على الخاصة من أصحاب الأدوات المهاراتية، محاولاً إبعاد الآخرين عن باب الإبداع، فإن عمله هذا أحمق ومضحك، ولن يلقى نجاحاً.

ب ـ خصائص الإبداع بالأدوات المهاراتية

يُعتبر التلحين والعزف في الموسيقى من الإبداعات النموذجية القائمة على الأدوات المهاراتية. فلا بد للملحّن أو العازف أن يمرّ بفترة طويلة من التدريب على استخدام أدواته قبل أن يتخطى العتبة عند باب الإبداع. وبوجود الحاجز الأدواتي يبدو المبدع غريباً عن عامة الناس، فمن الصعب عليهم المشاركة في عمله باستخدام الأدوات المهاراتية، وقد لا يسعهم إلا أن يبقوا محض مستهلكين أو مستمتعين عاطفيين أمام أعماله الفنية. ومن هذه الفئة من الفنون أيضاً: الباليه وما يشبهه وبعض الفنون التشكيلية. قد يحكمها الجمهور على ما إذا كانت جميلة الصوت أو الشكل، ولكنهم عاجزون

---

[1] تشاو بنشان (ولد عام ١٩٥٧) ، بالصينية المبسطة، هو ممثل صيني وكوميدي ومخرج تلفزيوني وتاجر للفن.

في تقييمها من النواحي الأخرى، ولربما لكل منهم رؤيته الخاصة.

ومع دخول الكمبيوتر إلى البيوت، صارت بعض الإبداعات القائمة على الأدوات المهاراتية تُؤدّى بأدوات يومية، إذ أن الكمبيوتر بسّط استخدام تلك الأدوات المتميزة بالرتابة والتكرار وعمّمها في حياة الناس. فصار الإنسان العادي يلحّن على جهاز الكمبيوتر، أو يعزف من خلال بعض البرمجيات، وصار من الممكن له أن يؤلف ويُخرج عملاً سينمائياً أو تلفزيونياً بكاميرا فيديو رقمية وكمبيوتر أو حتى بمجرد هاتفه. وعلى الرغم من أن جودة المقاطع المأخوذة بهذه الأدوات بالطبع ليست كما هي بالأدوات التخصصية، غير أن هذه المشكلة ستُحلّ تدريجياً مع تطور التكنولوجيا. خلاصة القول إن تعميم الإبداع الفني أو «تفنين» حياة العامة احتمال لا يُنكر بل إنه سيتحقق في الواقع.

4

خصائص رئيسية للأعمال الفنية

هنالك خصائص أساسية لا بد لأي عمل أن يتسم بها حتى يكون عملاً فنياً معترفاً بها لدى الجمهور. أو بتعبير أبسط: أي كائن طبيعي، أو مقالة، أو قصة، أو قطعة موسيقية، أو صورة... لا يمكن اعتباره عملاً فنياً أصيلاً إلا إذا تحلّى بالخصائص الظاهرة اللازمة للأعمال الفنية.

أ ـ خداع الحواسّ والمبالغة

لا بد أن يكون العمل الفني الجميل مخادعاً للحواس. فلربّ قومٍ رأوا جبلاً وكأنه فتاة هيفاء تقف عن بعد، وآنذاك نبع فيهم الإحساس الفني، فسمّوا الجبل باسم «جبل الخالدة». وفي الحقيقة لم يكن الجبل شيئاً آخر، وإنما بدا كأنه فتاة بسبب «خداعه» للحواسّ.

أو إذا قلنا في الأدب: «هبط العصفور على الأرض كأنه ورقة شجر»، أو «هبطت الورقة كأنها عصفور»، فكلا التعبيرين يزيدان من الإحساس الفني عند الناس. ولكن لو قلنا: «هبط العصفور كما هو»، أو «هبطت الورقة كما هي»، أو قلنا ببساطة: «هبط العصور»، أو «هبطت الورقة»، لتقلّص الإحساس الفني إلى حد بعيد. وفي الجدل الذي طال بين الناس حول ما إذا كان التصوير الفوتوغرافي فنًّا، فقد كان أحد أسباب هذا الجدل أن التصوير الفوتوغرافي تصوير دقيق لا يخادع البصر إلا قليلاً، ومن هذا المنحى فإن الصور التي تخالف المشاهد الواقعية كانت موضع أكثر التقديرات من الناس، وكل ذلك كان بسبب ضرورة خداع الحواس في الفن. وفي الحقيقة فإن المشاهد في الأفلام، عاطفيةً كانت أو قتاليةً، قلّما تحدث في الحياة الواقعية، وقد تمت لها معالجات كثيرة لتزيينها وتزويدها بالقدرة على خداع الحواس، فهي لن تكون مطابقةً للواقع كما يظنه المشاهدون. لقد كانت في الحرب العالمية الثانية الكثير من المشاهد الضروس، ولكن هل هناك مشهد كما هو بالضبط في «إنقاذ الجندي رايان»؟ ولو استنسخوا مشاهد تلك المعركة بكل الواقعية، لما لقي الفيلم هذا الإقبال، بل ربما لم يستمتع به أحد. إن الناس يقعون في تناقض دائم عند تقديرهم للفن، يحبون الأعمال التي تخادع الحواس، والتي تتضمن مبالغة أو تزييفاً مُحكَماً مُخادِعاً، ولكنهم عاطفياً يعتبرونها، بصرف النظر عن الحقيقة، واقعيةً جديرة بأن يتأثروا بها وينفعلوا ويتفاعلوا معها. ومن القوانين المهمة في السعي الروحي للناس أنهم يمرّون بعملية مستكملة ومراحلها: الإثارة ـ تداعي الأفكار ـ العودة إلى الواقع ـ إعادة الإثارة ـ إعادة تداعي الأفكار. فمهما كانت الموناليزا امرأة عادية مغمورة في الواقع، لكنها بدت على يد دا فينشي في نقطةٍ ما بين

273

الواقعية وغير الواقعية، مليئةً بالإيهام والمبالغة، والخداع الكبير للعيون، وبذلك سحرت لوحة «موناليزا» وفتنت سكان العالم جميعاً. ومن يدرك هذا القانون فإنه لن يضلّ الطريق في إبداعه الفني: لا يجوز للأعمال الواقعية أن تكون طبقاً للواقع، ولا بد للأعمال التجريدية أن تجد انعكاساً في العالم التجسيدي، وإلا فستفقد هذه الأعمال حيويتها.

في الحقيقة فإن القول «إن الفن يأتي من الحياة وهو فوق الحياة» تعبير غير دقيق. ولكننا نقول إن «الفن قد يأتي من الحياة، ولكن الفن الراقي هو الذي يخالف الحياة مخالفة بارعة دونما أثر للتصنّع»، وبذلك يساير الاتجاه العاطفي للناس عند تقديرهم للفن. أما مسألة كون الفن فوق الحياة، أو ما إذا كان هذا ضرورياً، فهي أمر خارج نطاق الفن.

خلاصة القول إن العمل الفني، أو أي شيء يثير الإحساس الفني في النفوس، لا بد أن يتسم بالمبالغة والقدرة على خداع الحواس.

الإبداع الفني في أعلى مستوياته عبارة عن السعي إلى عدم الدقة والوقوف ما بين المشابهة وعدم المشابهة. فإذا استطاع الفنان أن يمسك بصفة «المشابهة» كأساس إبداعاته، كان «عدم المشابهة» عنده تعبيراً عن براعته وإلهامه وبريق حكمته. ولكن بالنسبة إلى من يعجز عن تحقيق «المشابهة»، فليس عدم المشابهة في أعماله إلا دليلاً على وضاعة مستواه الفني.

إذا كان الفنان قادراً على تحقيق «المشابهة» بإحكام، فإن «عدم المشابهة» في إبداعه عبارة عن تحقيق الشعور بالاختلاف والتباعد إلى أقصى حد. وبعَدَم الدقة هذا، الذي يتعمّده الفنان، تكتسب أعماله المزيد من القيمة الفنية. لقد كانت لوحة «دوار الشمس» لفان جوخ نموذجاً في هذه الناحية، فعند مشاهدة هذا العمل يتبين للجميع من الوهلة الأولى أن الذي رسمه فان جوخ هو نبات دوار الشمس، ومن الغباء الفظيع أن يستنتج أحدّ أنه رقاقة من دقيق الذرة، ويلي ذلك أن يجد الناظرون أن

دوار الشمس هذا لم يكن موجوداً في حياتهم اليومية أبداً، بل إنه أجمل وأكثر جاذبيةً منه في الواقع. إن هذا النوع من عدم الدقة قد يعطي العمل الفني مزيداً من الحياة الفنية، ولكن بشرط أن يكون خاضعاً للتحكّم، وسهل التنفيذ على يد الفنان الحاذق.

ولنضرب ظاهرةً عامة مثلاً؛ فالرسام إذا رسم فلا بد أن يولي اهتمامه بالمنظورية، ولكن لو رسم رسماً منظورياً بصرياً (أي مادياً) بما يضاهي الكاميرا في الدقة، فقد تبدو الصورة جامدة، عند ذاك فإن الرسام الخبير بأسرار الفن سيقوم بالتعديل على أساس المنظورية المادية، لتصبح منظوريةً عاطفية. وصحيح أن هذه الأخيرة غير دقيقة بل حتى سخيفة إذا قيست على معيار المنظورية المادية، غير أن الرسام البارع سيستفيد منها لإبراز الموضوع وإنعاش الإحساس الفني في عمله. هذه هي ظاهرة أخرى من ظواهر الاستفادة من عدم الدقة في الإبداع الفني.

كذلك يفيدنا خبراء الصوتيات بأن جمال السيمفونية وسلبها للنفوس كانا نتيجةً لانعدام دقةٍ محدودٍ في كل آلة من آلات الأوركسترا، فلو كانت جميع الآلات متطابقة تماماً في الدوزان، لأصدرت صوتاً رهيباً قارعاً للآذان بسبب الرنين القوي فيما بينها.

لقد لخصنا أعلاه الخصائص الأساسية اللازمة للعمل الفني الناجح، وهي: خداع الحواس والمبالغة، وتحقيق عدم الدقة المتعمّد، والوقوف فيما بين المشابهة وغير المشابهة.

5

الخلاصة

مع ظهور الإنترنت صارت حواجز الدخول إلى العديد من الفنون منخفضة. إذ أصبحت الآداب واللوحات والموسيقى والفيديوهات وغيرها من الأعمال تُحمَّل على الإنترنت وتكاد تُختبر أمام العالم أجمع، وفي نفس الوقت صار من السهل على الناس أن يحصلوا على المعارف بل المهارات، ويتبادلوا أفكارهم الفنية والإبداعية على الإنترنت. ومع تقدم التكنولوجيا، سيتم تحويل المزيد والمزيد من الأدوات المهاراتية إلى أدوات يومية، وستشهد عملية المعالجة الثقافية اللاحقة في الفن نشاطاً غير مسبوق بفضل سهولة التواصل، وقد انعكس ذلك في هبوط وصعود أسعار اللوحات في السنوات الأخيرة.

إن شيوع استخدام الأنترنت في العصر الجديد، بما فيه من تغيير لطرق التواصل وفهم المسائل وحلها، سيؤدي إلى تغيرات في حياة الناس وعواطفهم وقيمهم، وفي الحوكمة والسياسات الاجتماعية، وبالتأكيد فإن طرق فهم الفن ووسائل إبداع العمل الفني وعرضه ونُظم تقييمه ستتغير بشكل غير مسبوق.

لذا فإننا لا نبالغ إذا قلنا إن عصر الإنترنت هو عصر الفن الجديد. كما أن قضية «ما هو الفن» ستغدو من القضايا البديهية اليومية عند إنسان العالم المستقبلي.